D1096814

La memoria donde ardía

VOCES / LITERATURA

COLECCIÓN VOCES / LITERATURA 279

Nuestro fondo editorial en www.paginasdeespuma.com

Socorro Venegas, *La memoria donde ardía*
Primera edición: abril de 2019

ISBN: 978-84-8393-259-9
Depósito legal: M-6094-2019
IBIC: FYB

© Socorro Venegas, 2019
© De esta portada, maqueta y edición: Editorial Páginas de Espuma, S. L., 2019

Editorial Páginas de Espuma
Madera 3, 1.º izquierda
28004 Madrid

Teléfono: 91 522 72 51
Correo electrónico: info@paginasdeespuma.com

Impresión: Cofás

Impreso en España - Printed in Spain

Socorro Venegas

La memoria donde ardía

Sp

PÁGINAS DE ESPUMA

ÍNDICE

para Marcelo

PERTENENCIAS

Quien ha visto vaciarse todo,
casi sabe de qué se llena todo.

Antonio PORCHIA

AHÍ SE CONTIENE TODO. La soledad, el aullido de un perro que se hunde en la arena, la blanca mole de recuerdos
cristalizados. El sonido del viento, sus astillas, el anciano
que acaba por regir cada acto de nuestra vida. El corazón
sin su avidez. El acero puro del desamparo.

Me volví hacia Pablo: ¿También quieres que me lo lle-
ve?, pregunté apretando contra mi pecho la vieja reproducción de una pintura de Goya. Dijo que sí. Añadió casi con
cinismo: ¿Quién no es o ha sido un perro semihundido?
Asentí. Quién.

No espero ninguna cortesía de nadie. No espero amabi-
lidades del mundo. Y creo que no tengo que disculparme

por eso. Me contemplo sin intención, sin interés, como si viviera para alguien ajeno. De noche, a menudo hago un recuento veloz de cosas sucedidas durante el día: un monólogo, una retahíla, ¿para quién?

De un segundo a otro, una mañana, mi marido murió. Cuando pude moverme, en esos días de duelo, puse el anuncio. Pablo me llamó para preguntar acerca de ese aviso en una revista de *Compro y Vendo*: «Cambio todos los muebles, enseres y accesorios de mi casa por otros». Así lo conocí. Fue el único que llamó. Pronto estuvimos frente a frente, muy serios y concentrados. Ninguno quiso saber por qué cada cual estaba dispuesto a canjear sus cosas. Quizá para no mirarnos a los ojos, comenzamos a escribir mientras hablábamos. Listas y descripciones de mobiliarios que dolían en el aire, en los huesos, en la piel.

Era bueno alejarme de mis pertenencias.

Primero fui yo a su departamento, blanco y espacioso. Corroboramos el listado, calculamos, y de una vez me dio la licuadora, un tostador y los utensilios de cocina, puso todo en una caja y afirmó, aliviado: No los uso, siempre como en la calle.

Pablo tenía muchos juguetes, casi nuevos, en uno de los dos cuartos. También una cama individual. Me advirtió, como si invocara una cláusula: Debes llevártelos. Me encogí de hombros. Él salió de la habitación, pálido, mientras yo deslizaba los dedos sobre las teclas de un pianito.

El trato era este: cada quien empacaría y arreglaría la mudanza del otro. Así evadíamos la voraz memoria de los objetos.

A veces tengo sueños. Mi muerto me visita.

Se ha ido, pienso cada mañana con asombro, al abrir los ojos y ver el blanco del techo. Minutos después, confirmo: se ha ido. Y ya no es un estilete abriendo zanjas sin fondo en mi corazón. Ha pasado. Llega la urgencia de decir: he cambiado. Rogar porque así sea. He aquí el nuevo orden de la vida: él ha muerto/yo he cambiado. Pero, porque la transformación se impuso, abrupta, cambiar duele. Era innecesario convertirme en esta afanosa solitaria.

Pablo fingía interesarse en mi televisor, contar los libros, revisarlos, encendía y apagaba el estéreo como hipnotizado por la luz roja del interruptor. Le importaba lo mismo que a mí Sony o Samsung. Le extendí la garantía, aún vigente. Simuló leerla, y a bocajarro dijo: Pareces de treinta y cinco, ¿tienes treinta y cinco? No. Acabo de cumplir veintiocho. Ah, siguió desenfadado, también envejecí de golpe. Me echan al menos cuarenta y acabo de cumplir treinta y dos. Vi las canas en sus sienes. Siguió contemplando aparatos electrónicos, jugando con interruptores a lo largo y ancho de mi casa.

Fui al espejo, con la curiosidad de alguien que espía a su vecino.

A veces despierto y no abro los ojos. Pido con todas mis fuerzas: ¿podrías volver? Me opongo a la tumba. A sus deudos. A un epitafio.

Con su muerte me sucedió algo singular: los que venían a darme consuelo me confesaban secretos. ¿Veían en mí un filtro muy ancho, por el que también sus penas podrían irse? Los escuchaba, aturdida por los misterios que guardaban, ¡era gente a la que creía conocer! Adulterios, suicidios frustrados, alguien confesó haber desconectado el oxígeno de su abuelo para que ya no sufriera: Alégrate, tu marido no se degradó en una cama de hospital, agradece que se fue rápido, considera que. Me dejaban exhausta.

Mañana viene Pablo a empacar.

Primero quise que desmantelara el clóset. Pero esto…, se interrumpió e hizo un ademán desesperado al ver la ropa, los zapatos. Se volvió hacia mí con pesar. Le dije que era como con los juguetes, tenía que llevarse todo. Suspiró y comenzó a descolgar camisas, pantalones, ¡el esmoquin! Pablo se colocó frente al espejo y se sobrepuso el saco: le quedaba enorme. Reímos. Decidí dejar que trabajara solo y salí de mi casa. Fui a vagar por ahí, entré en el cine y vi tres películas seguidas. Con los ojos entornados pasé de una sala a otra. Despacio.

No dejaba de pensar en cada cosa que Pablo estaría tocando… ¿los objetos no lo rechazarían, absoluto desconocido? Y cuando yo tomara lo suyo, ¿se quebrarían en mis manos los juguetes? Uno puede morir de desesperación si piensa en cómo un sillón sobrevive a un ser amado. Y ni hablar de cuchillos, cucharas y tenedores, no tienen límite.

Cuando regresé, el camión de mudanzas iniciaba su viaje y Pablo me esperaba. Al día siguiente me traerían sus cosas; mientras tanto, éramos dos personas con la página en blanco. Con la casa sin memoria. Yo usaría esa noche una bolsa de dormir. Nos despedimos con mucha cortesía, sin mirarnos a los ojos. Extremadamente delicados y atentos, sabíamos que lo único que teníamos para cuidar era nuestra fragilidad.

¿Podría, en verdad, decirse que alguien ha partido pronto? ¿Quién puede decir cuándo es hora?

Sin Pablo, llegaron puntualmente sus pertenencias. Saqué la reproducción del *Perro semihundido*. La colgué en la pared, arriba de mi cabecera. En silencio escurre el desierto sobre mí. En silencio nos sumergimos. Solos.

Un domingo invernal, en la entrada del cine, oí mi nombre. Quise saber de dónde venía esa apacible voz y miré a todos lados. Entonces supe qué contenían mis ojos al ver los de Pablo. No logramos evitarnos, fue como quedar desnudos, con nuestro miedo y nuestro frío entre la gente. El abrazo de Pablo no era de pésame. Por primera vez en muchísimo tiempo un abrazo no me suscitaba la idea de la muerte. No me obligaba a decir «gracias». En ese cerco quisimos detener el hundimiento de la criatura funesta en que nos habíamos convertido. Sin valor, sin compasión. Acaso para saldar, de una vez, el intercambio de utilería que pactamos.

El coloso y la luna

SE DESLIZA POR SU CUERPO de gigante la luz blanca, igual que el sueño en los ojos muy abiertos de la niña. Al fondo de la mirada de Andrea hay un hombre inmenso sentado a la orilla de la tierra, la cabeza ladeada hacia la luna. ¿De dónde vino este coloso para habitarle el sueño?

Está cansada. Apenas parpadea. Y en su boca hay un sabor amargo y seco. Todo el día buscó a su padre, caminó por las calles de su barrio, entró en las cantinas, tocó las puertas de cada conocido y recibió las negativas. No le importaba mucho hallarlo, pero su madre se pondría furiosa si no lo llevaba de vuelta.

La pesquisa la hizo explorar más allá del barrio, territorio desconocido. En el límite entre su calle y la otra unas niñas jugaban rayuela. Andrea quiso dejar a la suerte la decisión de ir más lejos o volver a casa sin novedad, entonces escucharía los insultos de su madre, quien luego se echaría a llorar lamentándose por la hija tan inútil que tenía, la amenazaría con sacarla de la primaria y ponerla a trabajar de criada.

Apenas era mediodía. Las niñas aceptaron que se uniera al juego, pero se burlaban de su suéter viejo y los zapatos sucios. De un brinco a otro, mientras ellas cuchicheaban, Andrea recordaba las mil mañanas en que su madre, sin importarle que fuera día de escuela, le ordenaba: No llegó. Vete a buscarlo, y con urgencia le metía en el bolsillo del suéter una pequeña botella de Bacardí para así conseguir que la acompañara. El anzuelo. De un número a otro de la rayuela, Andrea iba más concentrada y más enojada. No le gustaba obedecer a su mamá. No le gustaban las caras de los vecinos con los que a veces su padre bebía, la interrogante inútil que le devolvían: ¿No llegó anoche tu papá?, mira qué cabrón.

Una de las niñas le preguntó entre risas si nunca se quitaba el suéter o se bañaba. La otra se acercó y le sacó la botella, iba a burlarse o a correr a contar lo que acababa de descubrir, pero Andrea le arrebató el frasco y le dio un tirón de cabellos que de todos modos la hizo correr, llorando, con su amiga detrás. Hubiera querido patearlas y morderlas. Qué rápido huyeron de su odio y su sed. Escupió.

No supo cómo. Mientras caminaba para seguir su búsqueda abrió mecánicamente la botella y se la empinó dos veces con tragos largos. El ardor en la garganta la hizo toser. ¿Por qué le gustaba a su papá ese líquido que dolía y cuyo sabor le pareció horrible? Ella traía en el pecho un fuego más hondo que el de ese ron blanco. Volvió a beber, esta vez el alcohol escurrió por su cuello.

Pasó por la tienda La Cordobesa, guardó el frasco y entró. Una dulce sensación le aflojaba brazos y piernas, llegó ante el mostrador y compró un chocolate. Lo abrió despaciosa, torpe, y se lo comió en rápidos bocados. La tendera no le prestó atención y solo le señaló el bote de basura. Al salir de ahí la orden de buscar a su padre se oía lejana; en sus orejas burbujeaban perezosos todos los sonidos del día: pájaros, coches, pasos, voces. La voz de su madre, no. Se sentía cansada, llevaba mucho rato caminando y recordó que no había desayunado. Esa delicada sensación de no pisar del todo el suelo la obligó a arrastrar una mano por la pared, temerosa de caerse. En una esquina casi chocó con una mujer que llevaba dos grandes bolsas de supermercado: ¡Andrea, allá atrás está tu papá!, advirtió.

A Andrea, que siempre gozaba del sol en su rostro, ahora le pareció que en el cielo un reflector cegador y agobiante se orientaba hacia ella. Palpó sus mejillas con los ojos cerrados, sonrió al ir reconociendo sus cejas, la exacta dimensión de cada línea, la sonrisa crecía, la nariz chata, la barbilla y la cicatriz que se hizo al caer de un columpio. El cielo, su aparente lejanía, la obsesionaba cuando más chica: aquella vez, en lo alto, se soltó y estiró los brazos.

Comenzó a reírse. Hoy no creería posible tocar el cielo. Abrió la botella y vació en el suelo lo que quedaba del ron.

Reconoció la calle que daba a la escuela, una subida muy larga; dos años atrás su mamá todavía la llevaba cada mañana, por lo general se le hacía tarde —le costaba despertar después de las pastillas que tomaba en la noche—, Andrea se caía con frecuencia al tratar de seguir aquel paso apurado. Sus rodillas tenían las cicatrices de la prisa.

Buscó la sombra, por un instante se sintió tan lenta como la tortuga que un día le robó a su vecino. Su madre, distraída, pisó al animal. Pero Andrea no dejaría que nadie le pusiera el pie encima. Se defendería de cada burla: por el suéter roto, los zapatos sucios, las malas calificaciones, las palabrotas que se le salían.

Dormido, acurrucado contra la pared, ahí en la calle, estaba su padre. Andrea sintió mucha vergüenza, ¿qué pasaría si alguien de la escuela los reconocía? Vio que a través de la botella ya no se deformaban las cosas: estaba vacía. Y entonces se preguntó: ¿Con qué lo haré volver? No importaba. No volverían. Se sentó a su lado. Subió a su nariz el olor a orines y alcohol secos, una sensación de asco la hizo arquearse, pero se contuvo. Pensó que cuando despertara, él también creería que, en adelante, la vida estaba solo en las calles. ¿Para qué ir a casa? No se separaría de su papá. No tendría más vergüenza. Acecharía para quitarle las botellas y vaciarlas sin que se diera cuenta. El aire caliente de la tarde la cubrió con un abrazo suave; durmió.

Oscurecía cuando Andrea se incorporó. Hizo una mueca: la cabeza le dolía espantosamente. Su padre estaba sentado en la orilla de la acera, y para ella era un gigante que soñaba, un destructor, un coloso triste. La imagen se destiló en sus ojos, ardiente y dulce. Vio que tenía entre las manos la botella vacía. Quiso decir algo, pero solo tragó saliva. Algo más quiso salir de su garganta, una bocanada de veneno, de vómito amargo que ya no podía retener. Él suspiró profundamente. Ladeó la cabeza hacia el cielo, la sonrisa estúpida. La luna, miraba la luna.

La memoria donde ardía

¿ESTAREMOS HECHOS más de lo que olvidamos que de aquello que recordamos? Me llevé los dedos a los labios. Reverberaba el fuego del tiempo transcurrido. El sabor de la gasolina me hizo presionar suavemente el pedal del freno. Orillé el auto y lo apagué. Miré por el retrovisor, alcancé a distinguir la feroz bocanada del muchacho, unas cuadras atrás.

Caminé de vuelta hacia el lugar en que el tragafuego hacía su espectáculo. Detenía el tiempo. O quizás el tiempo detenía el aire, el humo, la llama.

Parecía un asunto muy calculado, y la vida le iba en eso: el buche de gasolina, acercar la boca unos milímetros a la antorcha y rugir. El incendio instantáneo.

Parecía calculado pero daba miedo. Lo miraba de lejos y sentía en mi rostro el calor de su lumbre.

Era todavía un adolescente. Momentos atrás, cuando lo vi delante del parabrisas apenas me fijé en su rostro.

En su silueta raquítica. Con la prisa del que quiere seguir su camino sin la demora de la miseria alzándose frente a uno, le di unas monedas y fue entonces cuando nuestras manos se rozaron.

Ahora lo miraba francamente. Era casi hermoso, de rostro afilado y ojos rasgados. De una manera perturbadora resultaba atractiva su boca enrojecida, los labios hinchados.

¿Qué se me había perdido en esa esquina?

Una tarde mi padre se quedó sin combustible y tuvo que improvisar un garrafón. Le pidió ayuda a un taxista, y ahí estaban chupando la gasolina del tanque del taxi hasta que, por una ley de la física, supongo, el líquido subió solo por la manguera, del tanque al garrafón.

Papá desechó esa manguera echándola a la cajuela, pero yo la robé y me gustaba imitarlo, jugaba con mis hermanos y sus carros y no era, para nada, una niña de muñecas. Todos lo supieron el día que las quemé rociando un poco del carburante que extraje del tanque del coche.

Otra tarde en una isla en la que Alan y yo hicimos autostop para ir de un extremo a otro, de algún lugar de la Córcega salvaje al puerto de Bastia. Los autos viajaban a exceso de velocidad por la escasez de combustible, y aquel cochecito rojo en el que íbamos con una conductora rumana se salió del camino; ella no hablaba una palabra de inglés y solo maldecía en su lengua; el olor de la gasolina escapando nos hizo correr a los tres, de nuevo al camino, a pedir aventón con algunos golpes en el cuerpo y la vida generosa y aliada nuestra. Cómo saber que el tiempo se le acababa a Alan, que unos meses después su cuerpo sería abatido por un aneurisma y yo por la viudez a los veintisiete años.

Y mucho antes de Córcega: otra isla, los rincones de Matanzas que recorrí con aquel amante de cabellos largos. Canjeamos la gasolina que él atesoraba para su viejo *Studebaker* por una botella de ron y bebimos hasta la última gota frente al mar de Varadero. Ebrios, tristes, le dijimos adiós a una historia que no decía nada de nosotros porque nunca tuvimos fe en ese amor.

Un domingo en que me tocó la guardia en el periódico donde trabajaba me pidieron que fuera a cubrir la noticia del levantamiento de un pueblo; habían secuestrado a unos policías y la gente amenazaba con rociarles combustible y quemarlos vivos si el gobierno no extendía ciertas garantías. Cuando llegué allá, el olor ominoso de la carne quemada se alzaba desde la plaza central del pueblo. Solo un policía sobrevivió al abrazarse a su verdugo con todo el terror y amor por la vida del que era capaz.

Se dice a veces que uno se deshace en disculpas o en lágrimas. Yo me deshacía en memorias. El Señor del Tiempo me había dado otras vidas para gastar y yo, cómo negarme, las había vivido.

Era una especie de asalto ahí en la intemperie, frente al muchacho desconocido: me eran arrancados esos recuerdos. Como cuando nos quitamos una vieja joya que ha estado tanto tiempo en el mismo sitio que ya no sabemos que ahí está, y de pronto en su lugar queda un pedazo de piel más blanca, y el vacío, la ausencia, se hacen evidentes. Miré hacia el cielo con los ojos entrecerrados. Bajo la luz de nuestra enorme esfera incandescente, sonreí.

De modo que así es como regresan los recuerdos, para decirnos quiénes somos.

Un encuentro fortuito con un objeto extraviado, yo misma, era lo que me sucedía. Pero no era solo eso. También tragaba fuego.

El muchacho me miró. Detrás del humo negro me dirigió una sonrisa difícil. Buscó el dinero de los conductores con una mano extendida y la antorcha en la otra. Cuando el semáforo dio luz verde corrió hacia la acera. Una andanada de autos pasó entre nosotros. Hizo un buche de gasolina, se inclinó hacia mí con una graciosa reverencia y rugió con un vigor renovado. La lengua de lumbre se alzó sobre los autos, gozosa, atravesaba el aire limpio, ávida, traspasando mis recuerdos, me encontraba después de tanto, tanto tiempo.

El nadador infinito

nada, nada podrá ser más amargo
que el mar que llevo dentro, solo y ciego,
el mar antiguo Edipo que me recorre a tientas
desde todos los siglos,
cuando mi sangre aún no era mi sangre,
cuando mi piel crecía en la piel de otro cuerpo
cuando alguien respiraba por mí que aún no nacía.

Xavier Villaurrutia

Según el matasellos, el sobre tardó apenas una semana en recorrer su camino hasta mí. Adentro venía una foto de una pintura de Álvaro. En el reverso solo la palabra «Ven». Miré el lienzo por largos minutos: un mar a la hora del crepúsculo, pequeñas crestas de ola encendidas por un sol que muere. No era en absoluto un convencional paisaje para vender al turismo: en el centro del cuadro un árbol nacía poderoso en aguas muy oscuras. Como si estuvieran contaminadas.

Y no era cualquier árbol. Una ceiba nacida y crecida entre las aguas, con las ramas altas erguidas. Un árbol endémico y símbolo sagrado en la tierra de aquel amante del pasado. Una isla rodeada de un extraño océano negro. Según las creencias antiguas, la ceiba era un portal y su poder abría trece cielos.

Mis dedos acariciaron las letras que me invocaban. «Ven». La caricia la sentí en mí.

Guardé la foto sin poder siquiera imaginar el viaje. Languidecía en el octavo mes del embarazo y a diario me encontraba con la misma desazón recorriéndome. Dos se gestaban en mí, el niño y la desconocida en que me convertía. Iba al espejo a escudriñarlo. Cada mes algo cambiaba, algo se hacía distinto, algo quedaba atrás. Vivía de incógnita en un cuerpo incierto.

Conocí a Álvaro años atrás, cuando vino para exponer sus cuadros. El amor duró esos pocos días que estuvo en México. Después nos escribimos, prometí viajar para conocer su isla; él aseguró que volvería: esfuerzos por convertir el mar que nos separaba en un espacio retráctil, como si pudiéramos ajustar su tamaño en beneficio nuestro.

Álvaro dijo una vez que el Caribe no era el mismo en su pueblo. Que allá daba miedo. Recuerdo que sonreí, incrédula. Para mí el Caribe era el de Isla Mujeres o Tulum, una turquesa. Él insistía en que no era igual y me dedicaba la mirada de quien tiene un secreto.

Ese mar terminó acomodándose entre nosotros.

Después de la foto, el correo trajo una muestra más palpable del cuadro. Un fragmento del lienzo donde la ceiba irrumpe. A partir de ahí, a intervalos de dos o tres días, fueron llegando más trozos.

Comencé a preguntarme el porqué de esos envíos. Tal vez yo misma era responsable: había invocado a ese antiguo amante. Dedicaba mi tiempo a añorar la pureza de ser una e indivisible. La libertad tenía aquel rostro moreno y las manos preñadas de mar. Imaginaba paisajes con palmeras, el olor del óleo, el sonido rebosante de las olas. El recuerdo del amor de Álvaro.

El médico había dicho que podía seguir trabajando, hacer mis actividades normales. Pero después de que en un estornudo fui incapaz de contener la orina, preferí no salir.

Pensar en Álvaro y en su isla era alejarme de mí, de la casa, de las cursis solicitudes de mi marido… Parecía no cansarse, soportaba los cambios de humor sin perder la sonrisa condescendiente de quien acepta la locura temporal de la mujer preñada. En las noches le daba la espalda para abrazar una almohada larga que ponía también entre mis piernas. Algo más crecía entre nosotros. Una oscuridad. El silencio.

A veces el nadador en mis entrañas hacía un movimiento que podía ser un delicado ondulamiento o un preciso empellón. Entonces volvía a recordar que juntos éramos una larva, a la espera del momento en que mi habitante me rompería el cuerpo.

Cuando empecé a encerrarme en la habitación del bebé, mi marido creyó que despertaba de un letargo; ya me había reprochado la indiferencia, el desinterés en preparar ese espacio. Le dije que los paquetes que recibía eran materiales de decoración y le prohibí que entrara. Contento, prometió que no intervendría en mi trabajo creativo. «Sorpéndenos», dijo. Usaba el plural para referirse a él y la criatura, aunque sabía cuánto me molestaba que hablara así. Ellos tenían una existencia autónoma, ajena a mí. Ya habían traspasado las paredes del útero.

Hice a un lado la cuna, amontoné los regalos, los juguetes, todo eso. A veces él llamaba a la puerta, intentaba mirar dentro, pero se contentaba con entregarme los nuevos obsequios, que yo botaba donde no estorbaran. «Nos regalaron nuestro primer traje de baño», «Compramos el esterilizador»… Atajaba su mirada curiosa y casi le arrebataba las cosas de las manos.

Empecé a armar el rompecabezas marítimo de Álvaro sobre el suelo. Seguí mi instinto, no iba a reproducir la pintura de la foto, quería mi propio paisaje hecho de esas olas negras, apenas tocadas por el sol. Escudriñaba en todas direcciones, tratando de adivinar en dónde irrumpiría la ceiba.

El correo continuaba trayendo esa marea oscura. No pensé que el cuadro sería tan grande, ya no alcanzaba a adivinar orilla ni límite. Me perdía en altamar, con las piernas doloridas e hinchadas por el peso de la criatura. Toda mi alegría estaba en ese cuarto umbroso, en los reflejos de la luz marina subiendo por las paredes. Necesitaba cada rincón, incluso las ventanas, para cuando llegara la ceiba. Lo mismo le ocurría al bebé, en los últimos días del noveno mes sus movimientos eran menos frecuentes: se quedaba sin espacio.

Una tarde en que estaba sola, llamé al portero del edificio. Le regalé montones de juguetes y ropa.

Los envíos de Álvaro cesaron. Nada del árbol sagrado. Tal vez los trece cielos no se abrirían para mí, pero yo había construido las arterias de ese mar, su corazón nuevo y ardiente. Un vaivén me arrullaba. Lograba aliviar la angustia de no pertenecer a ese cuerpo ni a su fruto. Me adormecía con los últimos rayos del sol de la tarde y la brisa tibia que traía aromas salados.

Salí de la habitación para buscar en internet ese lugar exacto donde un mar limpio es oscuro, necesitaba una explicación de biología marina. Había pospuesto la consulta, pero en verdad quería saber. Vi playas donde hay bancos de mármol negro y por eso el agua parece contaminada, aunque sea pura. Olas anchas que parecen de petróleo, pero están limpias. Satisfecha mi curiosidad, casi en seguida quedé paralizada por una dentellada eléctrica. El dolor me recorría la espalda y me torturaba en las ingles, abría un canal con mil puñales.

Como un árbol asediado por la tempestad, fui arqueando el cuerpo, recogiendo mi savia, atando mis ramas en un abrazo tembloroso para contenerme.

El nadador en mi vientre empezó a patear, a abrirse paso con una dolorosa necesidad de aire, de espacio. Peleaba para romper los diques que lo habían contenido sin amor todos esos días. La fuente de su vida estaba rota, llegaba al final de su viaje y abría un portal sin luz, en medio de una noche de mármol, mientras por mis muslos escurría un agua que se arremolinaba en olas, oscuras olas.

LOS APOSENTOS DEL AIRE

… Dios, por alguna razón misteriosa, no podía librarlos de sus sufrimientos, pero permitía que las camas se elevaran lentamente a través de las nubes; lentamente ascendían las camas hasta los aposentos del aire […].

Thomas de QUINCEY

LUCÍA FORMA UN CÍRCULO CHIQUITO con los labios y lo pega al cristal de la ventana. Se empaña. Esa es la idea. Son nuestras nubes. Después de ella pongo mi boca en el espacio que acaba de dejar. Me dan escalofríos. Lucía vuelve a ponerse en la sonrisa el brillo que su mamá le trajo. Las nubes saben a cereza.

Desde nuestra ventana podemos ver muchas cosas: un puente por el que va la gente con prisa, los papás y los niños rumbo a la escuela, los novios que se encuentran o se despiden. A veces no nos distrae mirar gente. A veces el juego es hacer nuestras nubes sobre ese cielo de vidrio.

Estos días Lucía parece más que triste: asustada. Es raro. Es la persona más valiente que conozco. Tiene miedo de que su mamá deje de venir a verla. Quizá por eso se detiene cuando apenas llego a la tercera nube. Nuestras caras se quedan muy cerca y Lucía me pone las manos en cada mejilla. Me sorprendo, pero no me quito. Quiero reírme, pero no puedo. Quiero empujarla y también abrazarla, como si solo pudiéramos estar muy cerca o muy lejos, y no puedo. Se me acerca y me dice el secreto, no en los oídos sino en mi boca, despacio para que las palabras se vayan por mi garganta y que nadie, nadie sepa que tiene miedo.

–Mi mamá va a tener un bebé.

Se da vuelta lentamente y la ayudo, no queremos jalar la aguja del suero porque a ella, como a mí, ya no le encuentran venas buenas para inyectarla. Antes de irme a mi cuarto, le mando un beso volando.

Lucía es la niña más linda y graciosa que conozco. Cuando la pasa mal por el tratamiento no se queja. Tal vez aguantamos mejor porque somos de los grandes, ella va a cumplir once años y yo también.

Lucía, Lucía, ayer soñé el circo que juntos inventamos. ¿Qué crees que significa? Cuando viene a verme, mi mamá trae un libro que interpreta sueños. Lo leemos juntos. La próxima vez le preguntaré si hay sueños sobre circos. Los trapecios se columpiaban solos. Y los animales corrían locos por las gradas, los changos saltaban por todos lados con faldas hawaianas. Yo viajaba abrazado del cuello de una jirafa y tú ibas de pie sobre un elefante. Llevabas un vestido rojo brillante, todo el circo olía a cereza.

A los que más extraño es a mis hermanos. Aquí no se permite que otros niños entren al piso once del hospital. Nuestra enfermedad no es contagiosa, pero no los dejan porque dicen que esto no es cosa de pequeños. No entiendo, ¿entonces ya no somos niños? Susurro al oído de Lucía: somos los que van a morir. Ella hace ese gesto que me gusta mucho y que la hace ver tan bonita, es como si se escondiera un poco, inclina la cabeza, sonríe con los labios apretados y asiente. Sí somos, dice.

No se imagina qué pasará cuando el bebé de su mamá nazca. Será su primer hermano. O hermana. No le digo nada, porque ya se dará cuenta de que los papás se reparten. Ya no estarán solo para ella. A mí me encanta escribirles a mis hermanos, les cuento lo que hay por aquí, y ellos también me escriben, les digo que acá hay maquinitas que si les echas unas monedas sirven cafés, y ellos me cuentan que un avión pasó por el cielo y tiró miles de papelitos blancos.

En el patio de nuestra casa me gustaba mucho amarrarles un hilo a los mayates verdes. Disfrutaba echarlos a volar y sentir que yo pilotaba su vuelo. Pero la última vez que fui a casa pensé que tal vez les duele la patita, y preferí subirme a la bicicleta.

Solo a Julia, mi hermana, le cuento sobre Lucía. Por ejemplo, que no sé si cuando me dijo que va a tener un hermanito me dio un beso. Sentí que sus palabras me tocaban, pero no sé.

Cuando viene mi papá a visitarme le pido una cosa: que por favor no les pegue a mis hermanos. Odia que diga eso, pero se aguanta. Es distinto verlo aquí. En la casa siempre anda enojado, fumando y dando vueltas, como si no hallara su lugar. Viene con su portafolio café donde guarda todos sus boletos de autobús y comprobantes. Siempre debe traer puesto un cubrebocas, y así le puedo ver mejor los ojos. Yo no sé si me gusta más ahora que cuando tomaba. Pero sí sé que él era más feliz. Luego yo me enfermé y él juró a la Virgen y a Jesús que ya no bebería a cambio de que me cure. Me está enseñando a persignarme. Pide que no le diga a mi mamá porque ella no cree en eso. Ella antes sí creía, pero un día gritó que ningún dios le haría esto a un niño.

Papá siempre se acuerda de los que han dado de alta, y anota en la libreta que trae en su portafolios qué tenían y cuándo se curaron. Averigua todo con las enfermeras: qué médicos trataron a los pacientes, cuáles eran los pronósticos, si comían bien, si sus papás rezaban… Dice que el hospital tiene buenas estadísticas. Me mira como preguntándome algo.

Hay niños que se curan y otros que van y vienen como yo, otros desaparecen. Los que no se despiden, pobres, nadie quiere pensar en ellos. Sus cuartos son limpiados de inmediato. Parece que no existieron, no se habla de ellos, por eso nosotros hacemos sus funerales. Lucía y yo buscamos rápido: un juguete, un calcetín, algo que aún no sea recogido por los veloces limpiadores. Escribimos un papel con el nombre del que se fue y lo engrapamos a la cosa. Y eso que ha quedado es recibido en nuestras colecciones, entre nuestras cosas. Los dos ya les dijimos a nuestros papás que si algo nos pasa, la colección se la deben dar al otro. Después nos arrepentimos porque se pusieron muy tristes.

A veces no tenemos agujas ni sueros en el cuerpo. No arrastramos tripiés. Unas horas. A veces días completos. Ya sabemos que nos van a regañar, pero todos saben también lo que vamos a hacer. Antes de la comida, cuando los carritos que reparten las charolas no han llegado a nuestros cuartos ni se oye a las enfermeras rogando a los niños que por favor coman para que se alivien, corremos por los pasillos despejados. Gritamos de emoción y salen otros, los que pueden, y acabamos corriendo juntos. Los más chicos intentan frenar a los grandes abrazándose a sus piernas, así vamos remolcándolos, muertos de risa, y luego nos tiramos en el suelo, unos encima de otros.

Cada uno ha ido y vuelto a su casa por algunas temporadas y luego otra vez al hospital. Aunque Lucía y yo nos queremos mucho, mucho, odiamos venir aquí, y es peor cuando no nos toca el tratamiento al mismo tiempo. Ella es de Chihuahua y yo de Toluca. Tenemos un globo terráqueo y así hemos visto que cuando volvemos a casa, realmente no estamos lejos. No tanto como Uruguay de Hungría, eso sí es lejos. No hay mar entre nosotros. Solo nubes.

En los días difíciles todo mejora cuando nos apretamos las manos. Nadie se da cuenta. Hay turnos, rotaciones, no se quedan las mismas enfermeras, las cambian para que no se involucren con los pacientes, eso oí que dijo Rosita. Pero estamos Lucía y yo.

Lucía. Lucía.

El otro día me lastimaron mucho con la inyección en la médula. Iban a sacar el líquido. El médico es de los que quiere que sepamos qué está por ocurrir, le gusta explicarnos las cosas y dice que lo peor es la ignorancia. Yo con una jeringa enfrente no puedo escuchar ni entender nada, así que le dije shhh muy muy fuerte y me volví de espaldas para que empezara ya. Luego no podía levantarme de la cama, no quería ni moverme. Tenía ganas de ir a la ventana, ya era la hora en que regresaban los niños de la escuela y me gustaba pensar que eran mis hermanos los que caminaban así, con las mochilas enormes a cuestas, que iban a la casa, les servirían sopa de fideo y milanesas. Si dejan algo en el plato mamá les va a decir que los pobres fideítos están llorando porque no son comidos.

Pero solo los nombres de mis hermanos rebotaban de mi cama al cristal, de ida y vuelta, de mí a la ventana que nunca se abre.

Entonces vino Lucía. Llevaba una boina roja, a ella le quedan bien hasta las ojeras. La trabajadora social nos trajo Serpientes y Escaleras. Lucía puso el juego en el suelo y se subió a la cama, junto a mí. Estábamos quietos, sintiendo cómo entraba y salía el aire de nuestros cuerpos. Nos quedamos dormidos.

Empecé a tener una rodilla hinchada, me molesta cuando camino. Los médicos siempre nos consuelan diciéndonos lo valientes que somos. Es verdad. Los que ya no pueden son nuestros padres.

Cuando mi mamá viene trae mucho cansancio. Soy el mayor, allá en la casa están Julia y Ramón, todavía no se pueden cuidar solos. Y cuando mamá está aquí piensa tantas cosas que tengo que decirle varias veces «mamá, mamá, mamá», para que me haga caso. Ella está en otro lugar, tiene mucho miedo, porque antes no se me hinchaba la rodilla y ahora sí, porque me ve más flaco, porque estoy dejando de ver con un ojo…

Está muy preocupada por mi cuerpo, por eso casi no habla conmigo.

Lucía y yo somos expertos en lesiones y enfermedades. Nos gusta contarnos nuestras historias y es como si nunca antes las hubiéramos oído, o como si no nos hubieran pasado a nosotros. El juego es recordar nuestros primeros hospitales.

—Hola, niño. ¿Nunca habías dormido en un hospital, verdad?

—No.

—¿Cuántos años tienes?

—Cinco, ¿y tú?

—Mmm, yo también. ¿Por qué estás aquí?

—Porque comí algo que no debía. Acompañé a mi mamá a visitar a su amiga. Era una casa muy grande, como de tres pisos. Me puse a jugar a las escondidas con los otros niños y debajo del lavadero encontré un bote con algo que se veía rico. Era como miel. Metí los dedos y la probé. No sabía a dulce. Sentí que me quemaba, que me estaba derritiendo por dentro. Era sosa. Ahora solo pueden alimentarme por una sonda, tengo los órganos quemados, soy una gran cicatriz que no ves.

—¿Cómo pudiste ser tan tonto? ¿Quién va a guardar la miel bajo el lavadero?

Me encojo de hombros con vergüenza y trato de defenderme:

—Oye, acuérdate de Max. Sus papás le esconden la comida con azúcar...

—¿Y te duele esa sonda?

—Solo cuando los niños de la escuela me la arrancan, dicen que parece un cabello. Entonces sí me duele y me sale mucha sangre de la nariz.

Lucía me mira con cierta admiración, pero sin darse por vencida. Sabe que su historia es mejor.

–¿Y tú por qué estás aquí? –la reto.

–¿Ves esto? –se quita la boina–, un león me arrancó todo el cuero cabelludo. Mis papás tienen un restaurante y la atracción era un león que creció con la familia. Lo criamos desde que era un cachorro, mi mamá le daba la misma leche que a mí en un biberón. Cuando creció lo metimos en una jaula, y mi tarea favorita era darle de comer. Era muy lindo y juguetón, como un hermanito. Un día en que estaba a punto de caer una tormenta, quise ganarle al mal tiempo y llevarle su alimento. Se escuchó un trueno muy cerca. Vi la luz y me quedé sorda y a oscuras, pensé que era por el relámpago, pero no, el león me había arrastrado con sus garras y me tenía bajo su pecho. Sentí su corazón, más fuerte que el mío, más rápido, *pum pum pum*. No tenía dolor, solo un calor muy extraño en la cabeza. Pensé que era el aliento de mi león. Luego sentí algo que escurría por mi cara. No sabía que era sangre. Creo que me quedé dormida y desperté en el sanatorio.

Nos quedamos callados. Sí nos pasó a nosotros, a veces hasta nos reímos de lo tontos que fuimos. Por eso nos hicimos amigos, porque tenemos tan mala suerte. El lugar donde el rayo cae dos veces, decía Rosita, que nos había escuchado. Ya no estábamos en el hospital por esas cosas, pero aquello también nos había pasado. El león y la miel de mentiras. Y preferimos estas historias, porque a la enfermedad que tenemos ahora no la entendemos. De dónde viene, cómo entró en nuestro cuerpo, cuándo. Los doctores no saben nada. De lo de antes nos repusimos. Pero esto es imposible.

Es domingo por la mañana. Hay movimiento en el hospital, dicen que vendrá un personaje de la tele a visitar a los niños enfermos. Que va a traer sus juguetes para prestárnoslos. Tú y yo nos miramos. Todos corren, se preparan para recibirlo. Un ejército de trabajadoras sociales pega en las paredes y en nuestra ventana letreros de «¡Bienvenido!», nos piden que tengamos muy en orden los cuartos y siguen por donde quiera.

A Lucía la operarán mañana, no le interesa la visita del personaje.

Entra en mi cama y nos tapamos con la sábana. Nos quedamos abrazados. Primero estamos muy quietos. Luego mis dedos se abren para entrar bajo su pijama y sentir su piel suavecita, mi mano distinta a mí, súper extraña, va por su pecho que suspira. Recorro la clavícula, y ella canta bajito: *Este dedo es el papá y este otro la mamá, el del medio es el hermano con la nena de la mano. El pequeño va detrás: todos salen a pasear.*

Extiende los brazos bajo su nuca y cierra los ojos. Rozo dos botones esponjaditos y Lucía casi grita. Vuelvo a tocarlos, cambian, es extraño, se ponen duros. Ella entreabre los labios y aprieta los párpados. Mis dedos pasean por sus labios y ahora soy yo el que casi grita, su boca los atrapa, los muerde despacito. Así, mojados, los arrastro por su pecho y suspiros, suspiros. Pongo el oído sobre su pancita y recuerdo el caracol que guarda mamá. No conozco el mar, pero ahora sé cómo se escucha y es un ir y venir, suave, mientras Lucía respira. Pongo un beso ahí. Otro en el ombligo donde imagino que hay miel, miel de verdad, y sigo sin saber en qué mundo acabo de entrar, y por eso quiero mirar ese cuerpo sin pijama, necesito mirarlo, su piel tan blanca, y es tan distinto a mí, es una nube que puedo abrazar y estamos mirándonos y es como si ella fuera a llorar porque le brillan mucho las pupilas, pero no, eso no.

Se desliza y muy despacio pega su frente a la mía. Hay unas cosquillas que van por todo mi cuerpo y tengo muchas ganas de correr o volar o gritar. Mete la lengua en mi boca. Siento mojada la cara, el cuello, siento que llueve, que llueve encima de los dos. Cuando abro los ojos seguimos secos y solos. Al fin puedo reírme y ella también. Como si hubiéramos encontrado en nuestras bocas algo para festejar siempre.

Sacamos la cabeza fuera de la sábana. Siento mi corazón *pum pum pum*, ahora sé lo que sentía el león de Lucía, *pum pum pum*.

A lo mejor Dios sí existe.

Te dije que siempre vería tus ojos y que me gustaba ese gesto con el que te escondías. Tus ojos y esa mirada clara y larga que las enfermeras no soportan. Sobre todo Rosita, que no sabe o no quiere saber nuestros nombres y nos llama pacientitos a todos y nos engaña y dice que ya vamos a irnos a casa y que pronto estaremos curados y sobre todo cuando tú la miras no sabe qué decir y mejor se va muy rápido.

Lucía siempre mira directo a los ojos y cuando lo hace, uno tiembla.

Nunca le podré mentir.

Cada noche entran enfermeras distintas cinco o seis veces. ¿Vienen a comprobar si aún respiramos? Julia me escribió que debo decirte que te quiero mucho. Que está bien que se lo haya contado y no le dirá a nadie, pero que a ti debo decirte también. Por eso no puedo dormir. Cómo te lo voy a decir, Lucía, si no despiertas. Quiero ser lo primero que veas cuando abras los ojos. Te voy a dar dos besos, uno en cada ojo. Y luego va a llover.

Lucía, han pasado varios días y no me dejaban verte. Pero me colé y logré mirarte. Más lejos que nunca, lejos, lejísimos, bajo muchos tubos y sondas no eras tú de verdad. ¿Estabas ahí? Alcé la sábana y busqué tus pies para acariciarlos. Tuve que irme porque hacía mucho que no me daban ganas de llorar.

Un día seré así también. Un aplastado por las sondas de medicina. El doctor me cuenta que la enfermedad ha avanzado más en ti que en mí. También me dice, despacio, que es muy bueno querer a alguien. Lo escucho mientras me quita de las manos el tubo de ensayo donde guardo mi pedacito de mercurio. Lo que no es bueno, dice, es tener contacto con este material. Le pido que me lo devuelva, que a ti y a mí nos gusta ver cómo se puede separar, volverse mil partículas veloces y luego unirse todo todo de nuevo.

El doctor quiere saber qué me pareció la visita del personaje de la televisión. Nada, le contesto de mal humor, pues ya guardó mi tubo de ensayo en su bata.

Sin ti estos días son tan largos. Y si no puedo hablarte me siento más solo.

Como si la vida no apareciera por aquí.

Rosita dijo que ya habías despertado. La peor mentirosa de las mentirosas. Pero le creí. Fui corriendo, olvidé todo lo que tengo hinchado. Ahí estaban tus papás, uno a cada lado, con sus caras de enterradores. Tu mamá, con una barriga muy normal, todavía no se le nota tu hermanito. Dijeron que preguntaste por mí, pero que te habías dormido otra vez. Me sentí tonto. Abrí la boca para que de mí saliera una nube que borrara todo.

Pero en lugar de eso, escapó una pregunta:

–¿Por qué se llama Lucía?

Tu mamá me contó que así se llamaba tu abuelita, que te parecías mucho a ella, rubia y de cabellos largos, hermosos... Que te cuida desde el cielo y no permitirá que nada malo te pase.

Sé que habrías dicho que ya te pasaron algunas cosas malas.

–¿Qué hicieron con el león?

Ahora contestó tu papá:

–Lo sacrificamos.

Sonó realmente a algo muy malo. A un castigo verdadero. Fui por uno de los libros que me gusta mucho leer, el de los aztecas.

–¿Así, sobre una piedra, le sacaron el corazón?

–Fue algo distinto –pensó un poco–. Llamamos a alguien, un veterinario. Le puso una inyección. No le dolió. No sufrió.

–¿Cómo lo sabes?

Ojalá no me den de alta pronto. Quiero estar aquí para cuando despiertes. Mira estas nubes en la ventana. No saben a cereza.

No hables de los niños que ya no cruzan el puente porque son vacaciones. No hables del ruido de los pasos en la noche. No hables del mercurio que se llevó el doctor.

No hables del relámpago del otro día. No hables de la luna enorme y amarilla. No hables de la noche que no termina. No hables del ojo que ya no ve. Sobre todo no hables del ojo. Ella va a despertar.

    –¿Y a ti qué te pasó? –me preguntas.

Allí estoy, junto a tu cama, esperando. Te miro de lado, con mi ojo bueno. El otro está hinchado, como la rodilla.

    –No es nada, dice Rosita que me voy a poner bien.

Soltamos una carcajada al mismo tiempo.

    –¿Cuántos días pasaron?

    –Muchos. No los conté.

Tomas mi mano. La aprietas fuerte y me animo:

    –¿Y si te doy un beso?

Pones tu sonrisa más bonita.

Yo no te he dado un beso, Lucía. Tú me los das a mí.

Las manos me sudan. Esta lluvia que aparece solo cuando estoy contigo.

Me acerco muy despacio, el corazón se me sale, las cosquillas corren en todo mi cuerpo, y tu aliento tibio, cerca, cerca, el mundo comienza a girar más rápido, más rápido, el suelo se mueve, las paredes crujen, tu cama se desliza y la gente grita y corre. ¡Está temblando!, gritan afuera. Si no me agarro de algo, me voy a caer.

Entonces desde tu barco me ordenas:

    –Súbete.

Nos abrazamos, tenemos miedo, te abrazo más fuerte, aquí, aunque sea aquí, un día de temblor, un día en que todo se detiene porque todo se viene abajo, aquí van los trapecios columpiándose solos, el circo en movimiento, los caballos desbocados y alegres, las jirafas me ofrecen su cuello y los elefantes te quieren llevar, pero esta vez nosotros vamos solos, el león no tendrá otra oportunidad, juntos, nosotros volamos juntos lejos, más allá de las paredes, de la lluvia que nos cae encima, de nuestra ventana al fin abierta, más allá, más allá.

La gestación

«ME SIENTO MAGNÍFICO. Pregúnteme cómo». Un hombrecillo regordete y vestido con un traje barato señalaba con el índice la calcomanía pegada en el cristal trasero de mi coche. Con la otra mano asía fuertemente mi muñeca.

Se me han escapado otros, pero usted no, a ver, *¿cómo? ¿Cómo?*

–Hombre, ya suélteme, le digo que compré el coche usado y ya venía con ese letrero…

–Miente. ¿Por qué no quiere decirme lo que sabe?

–Porque yo no sé nada. Ese anuncio lo puso alguien que vendía algo, quizá un producto para la salud…

El incómodo forcejeo me obligaba a mirar de un lado a otro, en busca de ayuda. Mi embarazo de tres meses aún no se notaba, así que bien podíamos parecer una señora y un señor haciendo una escenita.

–¿Qué producto? –cuestionó con urgencia.

–Qué se yo: algas, Viagra, linaza…

Cerró los ojos, como si lo hubiera abofeteado.

–No se burle, señora.

Me miró con verdadero rencor. Comencé a sentir re-
mordimiento. ¿Por qué? Vino a mi mente el día que supe
que estaba encinta. La sorpresa y un primer sentimiento de
rechazo. Luego la culpa. A mí la felicidad se me escondía.
Se me ocurrió que ese hombrecillo ridículo, aferrado a mí,
había sido un hijo no deseado. Me quedé quieta, lo miré
con curiosidad y en seguida arremetió:

–¡No me conmueve! Ni se esfuerce en sentir compasión…

Su rostro se acercó al mío. Me envalentoné:

–¡Si su madre no lo quiso por algo sería! Debió de adivinar que tendría un hijo chaparro, panzón, patizambo…
¡Y orate!

Soltó una carcajada.

–¿Qué le parecería vivir con este orate por el resto de
sus días? ¿Qué tal si me la llevo y no la suelto nunca?

Sus palabras no me asustaron. Lo que me atemorizó fue
el eco que escuché en lo que dijo, una especie de recuerdo infantil, como cuando mamá amenazaba con acusarme
con mi padre por alguna travesura. No sé qué cara puse,
pero el chaparro orate parecía disfrutar del efecto de sus
palabras, quizá del hallazgo de que era capaz de semejante
ocurrencia. Jalé con fuerza para zafarme. Fue inútil, no
lo sorprendí. Me sujetó con mayor fuerza y preguntó con
aparente calma:

–Dígame cómo.

–¿Cómo qué?

–«Me siento magnífico. Pregúnteme cómo». *¿Cómo?*

¿Qué decirle? A un lado nuestro pasó una pareja, ella le
dio un codazo a él y rieron, cómplices.

Suspiré. Qué difícil ser madre. No se deja de ser madre nunca, al menos mientras el hijo exista. Por el mundo, en algún sitio, había una mujer entrada en años que parió a este desdichado. Y esa mujer sería siempre culpada por la infelicidad de su vástago.

–Señor, permítame que le invite un café –rogué.

El fulanito quedó desconcertado. En su cara, una mueca expresaba su desconfianza.

–¿Un café? ¿Le parece que quiero un café?

–Un café, solamente. Mire, si quisiera, ya hubiera gritado muy fuerte pidiendo socorro. En lugar de eso, aquí me tiene, luchando con usted.

Pareció meditar brevemente. La presión sobre mi muñeca cedió un poco. Se movió hacia atrás, me miró de arriba abajo como midiendo el tamaño de la amenaza. Al fin dijo:

–¿Me promete que será solo un café y me dirá *cómo*?

Los pies ya me dolían de estar ahí parada. No quise imaginar lo que sucedería los siguientes meses. Las varices, las piernas hinchadas, los calambres. ¡Y qué decir del peso del alma! ¿Qué pasaría si no llegaba a querer a la criatura? ¿Y si nacía y mi tedio no terminaba?

–Le prometo lo que sea, señor. Venga, es por aquí.

–Espere –dijo. Y en lugar de sujetar mi muñeca me tomó de la mano–: Así se ve menos feo.

Comencé a caminar con él detrás de mí, su manecilla aferrada a la mía. El café era muy concurrido; la mayoría de los clientes eran ejecutivos sobriamente vestidos y mujeres muy estiradas. Antes de entrar me volví a verlo. Me pareció que se veía más pequeño. El lugar lo intimidaba.

–Es un café como cualquier otro –dije–. No haga caso de esta gente.

Nos sentamos junto a la ventana que daba a la calle. Se acomodó la corbata, de un verde bandera gastado.

Ordené un capuchino helado. Pidió lo mismo, pero con mucha crema batida.

—Con respecto a su pregunta…

—Déjelo. Ya me dirá después —cortó secamente.

En adelante, no dijimos una sola palabra. Ahí sentado, el hombrecillo parecía haber perdido el interés. Miraba distraído hacia la calle y bebía con un popote su capuchino. Lo terminó casi de inmediato, escuché cómo sorbía el aire, jugueteando con los restos de la crema batida. Estaba aburrido. Comencé a sentir que ahora yo lo retenía en ese lugar, en contra de su voluntad. No le sentaba bien ese ambiente superficial de cuerpos y ropas perfectos. Bebía mi café fingiendo que también me atraía la calle. De repente le lanzaba miradas furtivas, y cada vez me daba la impresión de ser más joven y… semejante, de un modo inexplicable, a mí. ¡Se parecía a mí! O tal vez a mi padre, de quien yo había heredado la cara redonda, la frente ancha y las cejas pobladas. Lo miré con franca curiosidad, pero el parecido ya no era tan acentuado. Sus facciones se iban haciendo imprecisas, como las de un niño muy pequeño. Sonrió y pude ver que ya tenía dos dientitos.

COMO FLORES

LOS CIEGOS LLEGARON a finales de noviembre. Lo recuerdo muy bien. El patio de la escuela estaba lleno de hojas mustias, desprendidas de la vejez de su árbol. Y el aire tenía ese olor glacial que tanto hace pensar en Navidad, en gente querida y perdida: en distancias.

Fueron llegando uno a uno. Empezó en viernes. Tengo muy claro ese primer fin de semana; el sábado visité a mi abuela, que me quería mucho. Me parecía a ella: los mismos ojos verdes y saltones. Por eso me apodaban «El sapo». Fue la última vez que la abracé y gocé con sus cuentos. Después no volví a acercarme a nadie así.

Pamela Duarte se encontró con la ciega en el baño. Vestía el uniforme de la escuela, incluso en la manga de la blusa tenía grabado «6 A», que era nuestro grupo de la primaria. Pamela no se dio cuenta, al principio. De reojo la vio delante del espejo, inmóvil. Caminó detrás de ella, entró en el excusado y cerró. Entonces comenzó a escuchar aquellos pasos débiles, como indecisos. Se dirigía a los excusados y arrastraba una mano recorriendo puerta tras puerta.

Pamela oyó que tocaba suavemente y alzó la voz para decir: «ocupado». La ciega no se movió. Pamela vio las puntas de los zapatos asomar por debajo.

−¿Qué quieres? −le preguntó.

No hubo respuesta. Jaló la palanca del agua y abrió: se encontró con aquella sonrisa débil. A Pamela se le hizo extraño que vistiera el uniforme si nunca la había visto en la escuela. Ambas eran de la misma estatura.

−¿Por qué no abres los ojos? −dijo Pamela que le preguntó.

La ciega extendió una mano hacia ella y, sin darle tiempo de nada, le tocó la cara rápidamente, como si leyera a toda velocidad un enunciado. Fue un relámpago. La sonrisa de la ciega se ensanchó y luego abrió los ojos, tal vez oscuros debajo de las espesas nubes blancas. Pamela gritó, le dio un fuerte empujón y salió corriendo. Les contó lo sucedido a las monjas, quienes miraron interrogantes en dirección de los baños. Negaron con la cabeza y le ordenaron a Pamela que volviera al salón de clases. No se habló del asunto, hasta el siguiente viernes.

A la hora del recreo, la ciega y otro niño que apretaba tan fuerte los ojos que parecía dolerle algo, cruzaron el patio. Llevaban puesto el uniforme, pero se veían descuidados. El suéter torcido, los zapatos sin lustrar, y ella tenía una calceta más larga que otra. Como si se hubieran vestido a oscuras. Sus cabellos estaban desordenados, parecía que se acababan de levantar de la cama. Él usaba un bastón, que adelantaba para no tropezar. Poco a poco, a cada paso de ellos, nosotros nos fuimos quedando quietos. Todos permanecimos en silencio, contemplándolos, ya solo se oía el roce del bastón en el suelo. Nos sobresaltamos cuando irrumpió la campana: era el final del recreo. Corrimos hacia las aulas. Antes de entrar en la mía, me volví para ver por dónde iban los intrusos, pero en la desbandada de uniformes no alcancé a distinguirlos.

El tercero era como de mi edad. También lo hallé en el baño. Vi la puerta abierta de uno de los excusados y al intentar entrar me encontré de frente con él. Apestaba. Retrocedí hasta que mi espalda encontró la frialdad de la pared. Se había cagado sobre la tapa del retrete, estaba muy erguido y tenía los ojos cerrados. Se puso de pie. Extendió hacia mí sus brazos y yo miré esos ojos perdidos, iluminados, solo luz blanca. Luz muerta. Iba a tocarme la cara cuando le vomité encima. Él cagado y yo vomitando. Fui hacia el lavabo a enjuagarme, tembloroso y tan muerto de miedo que se me salían las lágrimas. Lo vi salir del baño, sujetándose los pantalones. Me quedé ahí durante un buen rato.

Las monjas me mandaron a casa porque pensaron que estaba enfermo. No dije nada.

Cada día llegó otro ciego. Pronto fueron tantos como para hacer nuevos grupos en la escuela. Tenían un modo de permanecer juntos. Se mantenían unidos por un solo cordón rojo que apretaban entre los dedos.

No hablábamos con ellos ni sabíamos a qué venían, aunque nos inquietaba que vistieran el mismo uniforme y, grabadas en sus ropas, las iniciales de nuestros grupos. Pamela decía que a lo mejor tomaban clases en algún salón. Pero ¿en cuál, si todos estaban ocupados? Alguien más dijo que eran fantasmas. Qué va, pensé, los fantasmas no cagan. Creía que tramaban algo.

Nos fascinaban sus movimientos, casi invisibles. Con el menor ruido posible atravesaban el patio a la hora del recreo. Se desplazaban como si fueran de cristal.

Un día cambiaron su trayectoria. Avanzaron por los pasillos hacia las aulas y se quedaron afuera, escuchando las clases por las ventanas abiertas. Fingíamos que no estaban ahí, pero esas sombras inmóviles pesaban mucho. Las monjas se percataron de que nos distraían y los invitaron a entrar, incluso los ayudaron a acomodarse al fondo. Al principio se quedaron ahí de pie, pero los gestos severos de las madres nos obligaron a levantarnos y cederles nuestras butacas. Ellos se acomodaron sin ocultar su satisfacción con amplias sonrisas. Y nosotros a sus espaldas supimos que podían quedarse quietos y atentos durante horas, vivos e inermes como flores.

Al verlos en nuestros asientos, me di cuenta: estaban ahí para reemplazarnos. Estaban listos para ser los nuevos grupos 6 A, 6 B, etcétera.

—«Sapo», hay que hacer algo —me dijo Pamela Duarte, a la salida de la escuela.

Mi compañera fue la primera en decidirse a pelear. No por nada era la disciplinada e inteligente jefa de grupo. Y yo era, digamos, el «popular» de la clase, amigo de todos, el mejor en futbol, en basquetbol… Aunque con los ciegos ahí ya casi a nadie le interesaba otra cosa más que observarlos. Pamela y yo estuvimos de acuerdo en que había que echarlos de nuestra escuela.

—Un susto —propuse.

—Sí, eso —dijo ella.

En los baños eran más atacables, pues no estaban a la vista de las monjas, que los protegían. Qué pacientes fuimos, con cuánta precisión calculamos la emboscada. Pamela eligió a la víctima, la niña ciega que tanto la había asustado aquella primera vez. En el recreo esperamos a que se desprendiera del cordón que la unía a sus compañeros y la seguimos al baño. Los nuestros se apostaron afuera.

La ciega entró y no cerró la puerta. Esperamos en los lavabos. Al oír el chorro de orina, fuimos hacia ella. Apretaba los párpados como siempre, y en su expresión no había temor. Pamela se adelantó para ponerle la mordaza en la boca. La tomamos por los brazos, uno a cada lado; los orines escurrieron por el suelo. No se resistió. Una flor sin espinas. Cuando vi el rostro de Pamela, casi suelto a la ciega. Resplandecía. En sus ojos había lumbre, y de sus labios salían palabras terribles. Me asustó, pero era necesario seguir con lo planeado. El plan era sumergir la cabeza de la ciega en un inodoro lleno de mierda que ya estaba listo, ahí mismo, a unos pasos. La idea fue de Pamela: «Para que aprendan a usar el excusado», dijo.

La única resistencia de la ciega fue doblar las piernas y dejarnos todo el peso de su cuerpo para cargarla. No aguantamos y se nos cayó, de su frente comenzó a correr sangre. La levantamos y seguimos, llevándola a rastras. Al llegar al retrete sudábamos sin aliento. Habíamos recorrido distancias increíbles.

No nos acobardamos. Estábamos tan decididos a ahuyentar a los invasores que, de haber querido, la hubiéramos despedazado a puras mordidas. Pero ahí, después de cumplir nuestra misión, la flor abrió sus ojos entre la mierda y la sangre. Esas bolas que escondían charcos negros. Una pena sin edad. Nos dolió que nos mirara sin mirarnos. Nos dolió el corazón, del que nunca antes estuvimos pendientes. Yo no sé qué era. Pamela tampoco. De repente, ahí, con la ciega arrodillada, nos traspasaba un dolor muy viejo.

Nada podíamos hacer cuando la ciega dirigió sus dedos torcidos hacia nuestros rostros.

Historia de una lágrima

SE COLOCABA DELANTE DEL ESPEJO, hacía la mueca que siempre le ocupaba el rostro cuando lloraba, pero permanecía seca. Entonces imaginaba que en lugar de ser ella era otra: la hermana, la suegra, la mejor amiga, alguna de las inconsolables mujeres del funeral. Tampoco.

Por la tarde llegó Monique de visita. Le arregló un poco la casa, guardó, para llevárselas, algunas corbatas que se habían quedado en el armario y que por la prisa no fueron incluidas en la donación al albergue, junto con todo lo demás: las camisas, los pantalones, los calcetines, en fin, la ropa del hombre muerto de Pura.

—Ya no debe decirle marido o esposo —aconsejó el psicoanalista.

Refiérase a él por su nombre.

Pura miraba a su amiga ir y venir; disimuló cuando aquella escondió las corbatas, ensayó de nuevo su cara de llorar.

Nada ocurrió. Cuando mucho, el polvo que se levantaba con el movimiento de las cosas la hizo estornudar.

Después de un rato la casa quedó con un refrescante olor a pino.

El recuerdo del viaje a Sintra, en Portugal, se agolpó en su sangre, le recorrió el cuerpo como un lengüetazo de fuego.

El castillo que a la entrada, en la fachada –¿se llamaría fachada?–, tenía esculpido el rostro de un monstruo con cuernos de macho cabrío y expresión maléfica. Se supone que era para disuadir a los viajeros de sus perversas intenciones. En la fotografía aparecen los dos bajo aquella cara espantosa, ¡son tan jóvenes! Él sonríe como siempre, entregado al mundo, un hombre niño.

Un bosque rodeaba Sintra, el pueblo donde Andersen escribió sus historias. Dicen que todo extranjero podrá encontrar en Sintra un pedazo de su propia patria. Ellos no buscaban eso. Si hubieran podido, si viajar de un lugar a otro no terminara siendo un cansancio dulce e insensato, se habrían quedado a vivir en el camino.

En ese bosque hicieron el amor, mientras arriba de sus cabezas, entre las copas de los pinos, volaba una lechuza. Aún no salía el sol cuando el frío los despertó, adoloridos. Tenían hambre y sed, estaban despeinados y desorientados dentro de los sacos de dormir; al bosque llegaron con la oscuridad, un poco borrachos por el vino de la cena, perdidos como los niños de Andersen. Se miraron casi como se mira un espejo, con cierta simpatía, con cierta curiosidad, con un dejo de reproche por algún descuido. La dicha, esa cosa extraña y ajena, los sorprendió ahí mismo.

Monique sirve los chiles en nogada. El aroma le despierta el apetito a Pura. Mientras comen conversan sobre cosas de un día que pudo ser cualquiera, de hace veinte años o de mañana. Pura saborea con placer el dulce relleno del chile, la granada fresca y crocante, un lejano rumor a picante y nuez.

–Eres una mujer hermosa –le dice Monique.

Pura mide las palabras. Se da cuenta de que esa mañana solo atinó a ponerse una blusa sin mangas, ceñida, sin sostén.

–¿Sigues sin llorar?

No responde.

–Ven.

Monique la toma de la mano y la lleva hacia la recámara. Pura se deja conducir, aliviada de desplazarse, de ir hacia algún lado. Iría a cualquier lado, sin mirar atrás, tampoco hacia delante. Solo tendría ojos para las puntas de sus pies. Solo cada paso es verdadero, piensa. Como en aquel bosque donde se perdió con él, antes de seguirlo en un largo y errático viaje que llegaría al valle del Danubio, a las montañas… ¿cómo se llamaban? Esas, de nombre helado…

Frente al mismo espejo de cuerpo entero en que ensaya su cara de llorar, Monique la desnuda. Casi sin tocarla. Pero la toca. Se le endurecen los pezones. Esa sensación tan rápidamente olvidada. El deseo de caer. Las ganas de abrir su cuerpo a manos extrañas.

Desciende por las montañas de los Cárpatos. No se sabe si es para convertirse en un iceberg que irá pensativo por el mar Caspio, en un pájaro de hielo o en una oscuridad que rueda, de sabor a mar. Tan amarga es.

Pero al caer ha causado deshielos.

La isla negra

Que no sabes qué hacer para guardar
lo que soñabas y no querías.

Ernesto Mejía Sánchez

No hay ofensa, nada que reprochar si se acaba el amor. Pero entonces, ¿qué se debe hacer? Vio a Daniela abandonarlo, irse como un barco enorme, cargado de tesoros y un destino sin retorno. Ian dejó caer los brazos, vencido hasta la médula. Pasaron algunos días que se le antojaban elásticos, interminables; se resistía al dolor, a las respuestas más fáciles: embriagarse, salir corriendo o enfermarse de ansiedad. Trató de vivir disimulando su desastre, se deslizó por la pátina del día a día sin buscar ningún consuelo.

Les quedaba un viaje juntos, lo habían planeado meses atrás con un grupo de amigos. Para investigar sobre la santería cubana, harían una visita a tres mujeres de Batabanó. Con aire escéptico Ian vio cómo las tres ancianas de túnicas sucias y cabellos en desorden adivinaban la suerte de sus compañeros, cómo tiraban los caracoles para determinar los umbrales que podían cruzarse con buena o mala fortuna. Declinó participar, pero una de ellas se acercó y le puso en la palma de la mano un ovillo de hilo blanco. Vas a volver, le aseguró aproximando su rostro cenizo, de ojos claros. Él lo guardó nervioso en un bolsillo del pantalón y fanfarroneó: Ni yo ni el hilito.

Lo demás fue fiesta, en las playas, en los bares. Evitaba estar cerca de Daniela, y ella se retiraba temprano a dormir. Una madrugada, en La Habana, Ian se separó de sus amigos. Habían bebido toda la noche y decidieron mirar el amanecer desde el malecón. Tuvo un impulso. Se marchó en busca de las brujas. Pagó un taxi que lo llevó de vuelta a la choza apartada del pueblo lodoso. Le abrió la misma mujer que le dio el hilo: Eres de los que no pueden irse, dijo. Clavó en él sus ojos burlones, y se hizo a un lado.

Se sentaron uno frente al otro, entre ellos había un tronco viejo, y en su superficie oscurecida caían los caracoles y las adivinanzas. A Ian se le antojó que ese tronco era un remolino estancado, y que en cualquier instante se pondría a girar con sus designios y constelaciones adentro. Deseó que pudiera existir un sortilegio que le diera esperanza. El cuarto era umbrío; en el suelo había velas rojas y amarillas, y numerosas figuras de santos agobiados, sus rostros eran la aflicción, el suplicio.

—Di tu nombre —pidió la vieja.

Él trató de calcularle la edad; no supo definirla. Podría ser ya muy anciana, pero tenía lisa la cara. Sus ojos refulgían.

—Tu nombre —insistió.

—¿Para qué?

Ella, convertida de pronto en eficiente secretaria, puso un libro grueso sobre el tronco:

—Aquí están los que han venido por magia, porque la vida no basta.

Dijo su nombre, y también, atropelladamente: Necesito que vuelva a mí la mujer que quiero.

La vieja sacó un par de piedras pequeñas. Las puso sobre el tronco y le pidió que las tomara juntas y después escondiera una en cada mano.

—Háblame —le ordenó—, déjame verlas. Ian abrió las manos—. Ella no vendrá por su voluntad —arrastró las palabras con su vocecilla ronca y vaciló—: ¿De veras quieres traerla?

Sintió un relámpago extendiéndose desde la base de la columna vertebral hasta la nuca, la piel se le erizó, pero tuvo coraje y pensó que ningún daño podía ocurrir. Puso un puñado de billetes sobre el tronco. La vieja se irguió y apuntó con el índice: Dame el hilo. Deshizo la madeja y, en ese momento, él descubrió que en la penumbra habían estado siempre las otras dos mujeres, agazapadas, esperando. Se acercó una a estirar el hilo, cantaba un secreto. Luego vino la otra y cerró el canto con el filo de unas tijeras. Los extremos fueron cortados.

—Esto —dijo la primera bruja— nos pertenece. Apartó los cabos. —Y este lazo es tuyo. Nómbrala, vas a tirar de su corazón muy fuerte. Es seguro que vendrá.

En el camino de regreso a La Habana volvió a deslizarse, esta vez en el sueño. El taxista, un hombre afable, se dedicaba a fumar y a silbar algo, tal vez un bolero. El aire tibio y violento que venía del mar le infundía un aspecto irreal a cuanto experimentaba. No quiso hacerse preguntas ni sacar alguna conclusión. En cuanto llegó al hotel llamó a la habitación de Daniela. La persuadió de ir juntos a cono-

LA MEMORIA DONDE ARDÍA

cer una famosa playa negra. Solo ahora, cuando sentía que ya no deseaba a Ian, aceptaba el encuentro. Ahora que todo estaba terminado podrían dejar ir su historia y ser amigos, así se lo ofreció él en un gesto de generosidad.

La isla perfumada queda atrás y solo hay un camino maloliente, pobre. Ella vuelve a preguntarle: ¿A dónde vamos?, pero ni siquiera la mira. Prometió llevarla a conocer un lugar prodigioso, una playa negra. Atraviesan la ciudad y el campo en un taxi desvencijado, en una lentísima fuga; el calor es terrible.

¿A dónde?

Al fin se detienen. Aquí, indica Ian señalando un puerto. Daniela no tiene aliento para más preguntas. Esperan abordar un cometa. Tiene alas como un avión, pero esa ave metálica apenas se levantará del agua para llevarlos a la Isla Negra.

Todo es el mar, el aire, aun la tierra. Abordan y él, silencioso, se coloca junto a una ventanilla. Ella está tan cansada que no percibe la rabia que le ha ido creciendo. Es hasta que se sienta y estira las piernas que el fuego en su estómago la dobla; alguien pone ante su rostro una botella de agua que rechaza con un gesto descortés. Entonces, el mismo hombre, le ofrece ron: es un anciano de ojos compasivos y boca ya sin dientes; la joven vuelve a rehusar. Ian, pálido y sudoroso, extiende una mano y alcanza la botella de ron, le da un trago largo.

Cuando al fin bajan del cometa Daniela le grita: ¿Hasta dónde vamos, qué quieres? Ven a verla —dice cabizbajo, cobarde—, la isla, la playa es negra del otro lado, el mar también. Ella le da la espalda, busca con angustia una taquilla, el expendio de un boleto de regreso. Pero él la toma suavemente de los hombros. Se deja guiar. Entran en un hotel y a la mitad del pasillo vuelve a detenerse en seco. Su corazón va delante de ella, veloz. Él trata nuevamente de conducirla, pero con un ademán violento lo rechaza. Aunque sabe que su pasaporte está en la maleta, la deja caer al suelo. Sin prisa, pero ciega a cualquier razonamiento, sale de ahí con paso firme.

En el camino se cruza con mujeres del campo, amargas y sombrías, hombres de torsos morenos, niños que la acompañan como si jugaran con ella. Al llegar a la costa siente que unas alas se cierran dentro de su pecho; la arena, el mar, son negros. Como si fuera de noche. ¿Por qué?, le pregunta a un pescador de redes vacías.

–Hay mármol negro de este lado de la isla. Pero el agua está limpia –responde sin detenerse.

Daniela camina ausente, bajo un sol alto. Se da cuenta de lo poco atractivo que es el lugar, a ningún turista le interesaría. Entiende por qué la gente en la calle la miró con tanta curiosidad. Es una intrusa, y lo es más al descubrir que hay una pareja sumergida en el mar que no advierte su presencia. Casi furtiva se detiene a la sombra de un árbol lamentable. Los mira con descaro. Son jóvenes, son como Ian y ella. Se abrazan, tal vez hacen el amor, las olas los empujan despacio. Si el agua estuviera sucia sus cuerpos no brillarían así. Daniela se sorprende deshaciendo metódicamente una pequeña madeja de hilo que no sabe cómo ha llegado a sus manos.

Escucha la voz de Ian:

–Tengo que contarte algo.

El día, es decir, ese paisaje fantástico donde una mujer y un hombre hacen el amor hundidos en un mar que parece contaminado, iluminados por el sol en lo más alto, el día, esa estampa, se resquebrajó. Fueron cayendo pedazo a pedazo los fragmentos, como si se tratara del rompecabezas de un niño caprichoso que ahora decidía romperlo.

Daniela seguía riendo, y el cuadro compuesto por Ian se llenaba de cuarteaduras. Había creído que si le contaba todo, lo de las brujas, el hechizo, aquel hilo, entonces quizá aún podría hacer que ese fabuloso navío que era ella virara hacia él. Pero la nave rompió en carcajadas y no detuvo su camino.

El crepúsculo pasó. Ian se levantó inseguro, tambaleante. Al estirar los brazos extendió también un género muy delgado que lo cubría entero, envuelto en el fino capullo que una tenaz hilandera hizo para él. Se limpió la cara, se quitó algunas hebras de los ojos. Estaba solo, aun así giró buscando, desentrañando el horizonte.

Caminó hacia el mar y cuando metió los pies entre las aguas le pareció que entraba en una gigantesca lágrima turbia.

ANAGNÓRISIS

El oscuro mensaje que se ha de transmitir
no nos fue dicho nunca
mas hay que repetirlo sin cambiar una sílaba.

Tomás SEGOVIA

UNA HORDA DE NIÑOS mutilados por la guerra. No son bárbaros. Son los seres más vulnerables y generosos que hay. No los ensucia esa crueldad fría posada sobre su tierra.

Mara, que iba contenta con una mascada nueva en el cuello, de pronto parecía un insecto clavado en el asiento. Reconoció en seguida la película iraní. Quedó paralizada por un dolor ¿antiguo? ¿Desconocido? Aunque lo lamentó, no logró ignorar la pantalla. De vez en cuando desviaba la mirada, nerviosa, hacia el apacible bosque que atravesaba el autobús para llegar a Ciudad de México. También abrió el libro que tanto quería leer. Fue inútil. La atrapó ese niño al que en la cinta llaman «Kid Satélite», el que comanda a los otros para que busquen minas. Todos quieren trabajar con él, pero Kid Satélite se reserva, no puede darles trabajo a todos. Él sabe quiénes son los mejores buscadores de minas: los mancos, los cojos, los que ya han sido mutilados, dice, porque no tienen más miedo.

Cómo es un niño sin miedo.

Cerrar los ojos. Faltaba intentar eso. Pero entonces recordó el rostro del chiquito ciego. Volvió a verlo con sus botas azules puestas, la voz con la que llamaba mamá a la niña. ¿Dónde estaban esos tres personajes? El tercero era el hermano mayor que no tenía brazos. La niña intenta deshacerse del ciego, lo abandona en un campo minado, ¿por qué no lo quiere? Vincent no supo contestarle aquella vez, cuando llegaron a casa hartos del trabajo y encendieron la TV para distraerse. Lo hacían para no hablar, pues sus palabras los iban volviendo cada vez más ásperos y lejanos.

A él le encantaba el cine extranjero, así que le propuso: «Terminemos de verla, no importa que esté avanzada».

El niño ciego debe de tener unos tres años. Lo atan con una soga en casa para que no escape, y si salen al campo, como el hermano mayor no tiene brazos y la niña necesita hacer cosas e ir por agua al pozo, amarran al chico a un árbol. Tal vez la niña se contiene un poco y no logra asesinarlo debido al gran apego del mayor por el pequeño: es hermoso percibir la ternura que hay entre ellos, el muchacho se inclina para que el otro sienta su rostro y se le prenda del cuello.

Niños creciendo entre minas.

Abrió los ojos. Necesitaba, con doliente urgencia, saber. Nadie en ese autobús podía adivinar lo que le estaba sucediendo, cómo se dominaba, cómo se le anudaba la garganta, cómo era extraño sentir eso y escuchar a las pasajeras de los asientos de atrás; una de ellas se quejaba de una secretaria que le colgó el teléfono. «Una gata», exclamaba.

Kid Satélite no ha sido mutilado, se enamora de la niña hosca que rechaza al hermanito. A Mara le parece lindo eso del niño enamorado, pero la historia que la tiene en vilo es justamente la del pequeño ciego y su madre niña. Podría prescindir del resto de la película, desearía prescindir de lo demás, pero entonces hay un *flashback*. Un caos. En medio de la guerra la niña es violada y sus padres asesinados. Solo le queda el hermano mayor, que acaba de perder ambos brazos en una explosión. Termina la secuencia de imágenes del pasado. Es de noche, aparecen los tres niños acostados. Ella tiene insomnio. Le dice al hermano mayor que la deje acostar junto al pequeño, a ver si así logra dormirse, pero él le contesta: «Mientras no ames a tu hijo, no podrás dormir».

Las ilusiones de un matrimonio feliz murieron jóvenes. Mara solía preguntarse qué había buscado, en verdad, en Vincent. La protección, un amigo, un compañero. Lo que llegó fue la desidia, la falta de valor para decir no, gracias, y quedarse sola. La curiosidad que de pronto escapaba de sus ojos, las preguntas que no supieron hacerse, pero que ciertamente nada tenían que ver con el amor. No es que se agotara o se desgastara. No existió. Ni Mara ni Vincent pensaban que fuera necesario.

¿Lo era?

Mara formuló aquella pregunta: ¿por qué no quiere al niño? Vincent pensó un poco y dijo que, sin importar la razón, era objetivamente mejor que ese ciego muriera. Que si la niña lo mataba estaría cometiendo un acto de amor al liberarlo de una existencia miserable. Que eso se debería hacer con la gente que sufre, con los que no tienen una oportunidad porque el mundo se ha encargado de cancelarlas todas. Hacía tanto que no tenían una conversación. Era asombroso que ahora intercambiaran más de dos palabras y que no se refirieran a algún asunto práctico. Pero no se daban cuenta.

—Por ejemplo —continuó—, si tú estuvieras en una situación así, límite digamos, no querrías depender de mí para cagar o comer, ¿verdad?

—Dices que habría que matar a esos niños.

—Claro. Qué más podría hacerse con ellos.

El ciego sonreía, los ojos bien abiertos.

Mara pensó en el recibo de la luz, guardado en su bolsa. Había que decidir quién lo iría a pagar.

—Uy, con lo maravillosa que estuvo nuestra plática ni me di cuenta de que había una película —dijo una de las mujeres del autobús.

Mientras la gente descendía del camión Mara llamó por teléfono a Vincent. Aun cuando se habían separado, de vez en cuando hablaban para decirse atentamente cosas que los mantenían orgullosos de su cortesía. De sopetón le contó la historia que en aquella ocasión no adivinaron en la película. Las razones de esa niña para no querer a su hijo, para desear con fervor su muerte. *¿Entiendes? No era porque estuviera ciego, ella misma estaba en tinieblas...* Niños que se hablaban de tú con la muerte.

Los papeles del divorcio jamás tendrían una cláusula relacionada con esa trama. La mediocre historia de su vida juntos nunca pasaría en una pantalla grande. Y sin embargo, era sustancial contarle a Vincent, revelarle la base del iceberg, ese cuerpo tan helado como el matrimonio que ella decidió terminar el mismo día en que vieron aquella película.

La mano le dolía de tan fuerte que sostenía el teléfono, habló y habló con tanta gratitud como pudo porque se dio cuenta de que estaba diciendo el último adiós a un cadáver insepulto. Y tenía su rostro.

El aire de las mariposas

Un paisaje que ella conocía desde niña. Su padre también solía llevarla ahí, a sentarse en el malecón hasta que los ojos se le llenaban de ese azul movimiento. O hasta que el alma reposara en algún oscuro hueco de su cuerpo, en lugar de revolotear como una mariposa con hambre. Le gustaba preguntarle a su padre de qué se alimentaban las mariposas, y él, un sencillo hombre de campo, le respondía:

–De un poquito de aire.

En aquellos tiempos tampoco podían pescar, el gobierno había prohibido que tuvieran lanchas pues, casi seguro, en lugar de ir a buscar qué comer, huirían lejos. Y el rey no podía quedarse sin súbditos.

Su madre le enseñaba a usar las pinturas que alguna vez un avión dejó caer junto con juguetes para los niños. Su color favorito era el azul prusia.

La madre pintaba paisajes marinos donde casi siempre aparecía una hamaca sostenida entre dos palmeras. En su interior, un bultito oscuro:

–Esa eres tú, dormida.

Decía.

Aquellos cuadros apacibles, que de niña le gustaban tanto, ahora le parecían espantosos. A veces tenía pesadillas donde una tormenta ennegrecía el cielo y arrasaba con todo. Pero la hamaca no se movía, la hamaca con ella adentro permanecía fija. Algo que la hacía pensar en la muerte.

Frente al malecón deja que sus recuerdos se evaporen. Una manita le jala el vestido y de golpe vuelve su angustia: esos tres niños. No puede darles pinturas ni contarles un cuento para que olviden. Piensa, de pronto, que no sienten como ella. La viudez es solo suya.

Hace unos días comprendió que les hacía falta sentir esperanza. A los niños, a ella. Su padre la llevaba al malecón; haría lo mismo. Nunca habían visto el mar, nada parecido.

Así que les pidió que se tomaran de la mano y salió con ellos al camino. Un camión se detuvo y aceptó llevarlos al siguiente pueblo, pasajeros improvisados. Los niños se asomaban al camino de tierra y hacían una fiesta con cualquier cosa pequeña; palpitaban estrellas en esos ojos oscuros.

Cuando estuvo frente al mar se quedó quieta, con los ojos cerrados, alta, erguida, una llama que la brisa no conseguía apagar. El cabello largo le azotaba la cara. Los chiquillos corrieron acá, allá, lejos, gritaban y reían. Luego se detuvieron y escucharon el mar. Conocieron su silencio y su canto. No podían adivinar su violencia. Ella volvía a su infancia despaciosa y suave, como la lágrima que rodaba por su mejilla. Las mariposas. El aire del que se alimentaban, la pregunta que siempre logró retener, *papá, ¿quién vive del aire?*

Uno de los niños vino corriendo hacia ella y tiró de su vestido. La encontró ausente y giró sobre sus talones, como si hubiera recordado una importante misión, se echó a correr de nuevo.

Abrió los ojos. Allá, entre las olas, las gaviotas volaban en círculo. Las rapiñadoras celestes. Tal vez un pez muerto al que le estarían sacando las entrañas. Contuvo la respiración. Se volvió a buscar a sus hijos, los más pequeños jugaban a las canicas en el suelo. El mayor estaba sentado en el malecón, con los pies colgando en el vacío. Abajo las olas rompían sosegadas. El niño tenía la vista clavada en el espectáculo de las gaviotas. Fascinado, se humedecía los labios con la lengua.

Ella se acercó despacio.

—Voy a traerte aquel pájaro —señaló una gaviota. Y saltó.

EL HUECO

Para Antonio Ramos Revillas

DIRIJO MIS PASOS hacia la habitación del niño. No consigo llamarlo «hijo». La puerta se abre suavemente, la cuna es iluminada por la luz tenue de una lámpara. A un costado, en un futón, su padre duerme agotado. Es un cuadro desolador. ¿En dónde está la madre de esas dos criaturas? Me llevo las manos al vientre: un hueco, ahí donde el pequeño creció hasta el día del alumbramiento. Sí, el fantasma del dolor, eso que me impide dormir.

En la noche más honda, la del insomne, me levanto a caminar por la casa. Parecería sonámbula, pero sé que no lo soy. Veo los rincones y tengo ganas de llorar. No se me ocurre por qué.

Busco, he buscado en mis manos las sorpresas de una chistera. Nada.

Cambia de lugar mi fe. Mi brújula errante, esa pequeña fe.

Me despertó su llanto desconsolado, fui a verlo y me quedé acodada en el barandal de la cuna, observé atenta sus rasgos, tan indefinidos, ¿qué lo hacía mío?, ¿cuál inobjetable parecido? Sentía el impulso de cargarlo pero no hubiera sido una actuación genuina, sino un arrebato, un acto dictado más por la impaciencia, por el fastidio de escuchar los berridos, que un acto de amor. Entonces llegó él, y como yo no hacía nada por consolar al crío, me llamó «monstruo».

Estoy sola en esta incomprensible espera de un acto de amor. Mío. Mientras el niño lloraba, su padre, con el rostro incendiado, lo sacó de la cuna. Es tan pequeño que lo sostuvo con un brazo, con el otro me empujó.

Yo no quería parirlo. Me gustaba sentirlo moviéndose, un contorsionista infinito. Soñaba que en mí se gestaba un navegante, un vadeador de abismos. Solía sentarme a contemplar el jardín y él comprendía ese momento de paz, se quedaba quieto para convertirse apenas en una vibración, en un presentimiento. Llegué a creer que sería así siempre. ¿Es por eso que no entiendo lo sucedido? El ajetreo grosero del hospital, el parto, las visitas, las flores.

El hueco en que me convertí.

Aún la leche escapa de mis pezones, la succiono y luego la tiro en el lavabo. «No sirve», le recuerdo a él cuando me mira con reproche. Trato de disculparme porque soy una oquedad innecesaria en esta nueva vida que ya organizó: prepara biberones, cambia pañales, baña a la criatura. Se ocupa por entero. No se suponía que las cosas resultarían así. «Deja de mirar, solo sabes eso, ¡mirar!», grita, mientras oculta en su regazo el estrecho cuerpo de mi angustia, ese niño. Soy una desconocida bajo su techo.

La desconocida solo puede limpiarse a sí misma y extraer la leche, un alimento venenoso. El doctor lo dijo, después de que el pequeño vomitara varias veces: «Su leche no es buena para el bebé». Dio la noticia mientras la enfermera se empeñaba en que el niño chupara mis senos. Súbitamente liberada, lo aparté y me di vuelta en la cama. Me dormí.

Su padre no permite que me acerque a mirarlos. Ese lado de la casa es, ya, territorio hostil. Hay una sirvienta que trae a mi cuarto la comida tres veces al día. Comida de enfermo: cosas blandas, incoloras. Le habrán contado alguna mentira para justificarme. Estoy casi segura de que echan algo en los alimentos, después de probarlos caigo en un sueño hondo, pero no de inmediato. En el descenso percibo cómo los familiares pasan de largo frente a mi puerta, los oigo saludar al padre, jugar con el niño, entregar los regalos, murmurar sobre mi «estado». «Medidas necesarias, obligarla...».

A veces no como y desde la ventana los veo alejarse, miran de reojo, saben que estoy aquí, me evitan. Murmuran entre sí. Han dicho algo, han decidido algo. Me acuesto de nuevo, cierro los ojos, quiero parecer dormida, ¿para engañar a quién? El fingimiento trae un efecto inesperado, de algún modo llega el letargo, y después, el sueño.

No sé cuánto tiempo he dormido. Esta vez me despierta la risa del niño. Me cuesta reconocer las paredes, el techo, la casa. Unos instantes me quedo paralizada en la cama. Es un sonido precioso. Continúa riéndose. Pero ¿una criatura tan pequeña puede reír así? Pongo los pies sobre el suelo y siento un cosquilleo frío que me arranca una sonrisa. Tal vez gélida, pero auténtica. Salgo intrigada de mi cuarto, la risa continúa. Sigo el rastro de esa dicha.

La casa parece desierta. Tampoco veo a la sirvienta, siempre apostada y espiándome. En el centro de la habitación está el niño, solo, sentado sobre una alfombra blanca; se embadurna una crema para la piel. Tiene los brazos y las piernas cubiertos de color blanco. Un vértigo me orilla, me detengo del dintel. ¿Cuánto tiempo ha pasado? Ya puede sentarse sin que el peso de su cuerpo lo gane. Ha crecido. Y también está solo. Vuelve a reírse y en medio de su travesura dirige el rostro hacia donde estoy, veo un diente nuevo en esa carcajada. Alza los brazos y los tiende hacia mí.

Vía Láctea

Parecía la escena de una vieja película. La desolada estación de trenes en un lejano lugar. Una mujer joven, sola, sin abrigo, esperando en el andén un tren que no llega. Un tren que la llevará lejos en su huida. El cabello largo, agitado por el viento helado. La noche era alumbrada por un farol de potente luz blanca que revelaba unas marcadas ojeras en su rostro delgado.

Cuando la vi, en realidad no vi nada de esto. Al principio no me interesó. Yo esperaba el mismo tren, aunque no huía. Me consternaba que el transporte no llegara puntual; tenía negocios inaplazables. Pero hubo algo que me sobresaltó. Algo de lo que ella no parecía darse cuenta: sobre sus pechos, es decir, sobre la blusa que vestía, crecían dos manchas claras.

A fuerza notó mi mirada fija, pero no hizo nada por cubrirse.

–¿Señor? –se acercó para pedirme que le encendiera un cigarro que no supe de dónde sacó. Debió de tenerlo en la mano hacía tiempo, estaba chueco, arrugado.

LA MEMORIA DONDE ARDÍA

Lo encendí con torpeza, molesto por mi nerviosismo. Inclinó la cabeza y sus labios se movieron.

–Es leche. Todavía tengo.

Dijo en voz muy baja.

Siguió hablando ajena, como si se dirigiera a sí misma.

–Nació hace tres días, a las 12:55 h. Capricornio. Fue niño –sonrió fugazmente–, pesó tres kilos y midió cincuenta y un centímetros.

Carraspeé. Debe haber parecido estúpida mi expresión buscando al crío en su regazo desierto. Se dio cuenta y se encogió como quien tiene mucho frío. O tal vez no sabía qué hacer con los brazos.

–¿Sabe? El dolor es algo misterioso. No termina con el parto. Es infinito. Ahora mismo, siento mucho dolor...

Pregunté si podía ayudarla. Me sentía cada vez más tonto. Ella parecía necesitar de todo. No llevaba ninguna maleta. Solo ese cigarro, como si de pronto hubiera decidido irse y supiera, como cualquiera sabe en el fondo, que lo único indispensable para huir es levantarse. Se acercó mientras exhalaba el humo.

–¿Cómo podría ayudarme, señor? Mire –dejó caer los brazos.

La leche ya empapaba la blusa.

–El dolor de los senos rebosantes es terrible. Parece una culpa.

Me cuidé de mantener la mirada en su rostro. Sus ojos estaban también rebosantes.

¿Qué eres?, le pregunté en mi mente. ¿Quieres leerme la mano? ¿Buscas un hombre, un padre para tu hijo? ¿Así te ganas la vida? Cruzó de nuevo los brazos sobre su pecho y se volvió ligeramente hacia las vías, absorta.

El tren se aproximaba. Nunca me alegré tanto de que llegara, ahora tenía más prisa que antes. Me conmovía esa muchacha, pero mientras el tren se acercaba me importaba menos.

Iba a sacar la cartera, pero no sé qué me lo impidió. Un pudor imprevisto. Concluí que si ella quería dinero, ya me lo habría pedido. Y tuve miedo de herirla más.

Le cedí el paso para que abordara primero. Se volvió, como si continuara una larga conversación:

—¿Usted tiene hijos?

—No, no tengo.

—¿Por qué?

Me encogí de hombros.

—Buen viaje —le dije.

—¿Y la felicidad?

Iba a añadir unas palmaditas en su espalda, pero me contuve. No quería parecer un viejo verde y mucho menos un abuelo comprensivo. No quise pensar en ella, una vez a bordo busqué un asiento lejano al suyo. Iba a quedarme dormido cuando tuve un sobresalto. Algo en mi cuerpo, una marea negra se mecía en mi pecho.

¿Y la felicidad?

Sentí entonces el primer movimiento. Un vuelco. Esa muchacha me había preñado. De pena, de tristeza, de imposible. Qué sería de mí ahora, con mi maletín de negocios y tanta desolación. Capricornio. Fue niño, pesó tres kilos y midió cincuenta y un centímetros… Miré hacia la ventanilla, la noche inmensa. El cristal del vagón me devolvió la expresión serena, apagada, de alguien con mi rostro. Ese alguien se sobresaltó al sentirse observado, parpadeó varias veces y se talló los ojos. Finalmente suspiró, dándose cuenta.

REAL DE CATORCE

MEDIANOCHE. La carretera empedrada era casi invisible por los dardos gruesos, burdos, que caían del cielo hacia nosotros, silenciosos cuerpos tibios viajando en nuestro auto azul.

La tormenta era magnífica, bella y aterradora. Los relámpagos iluminaban el desierto, la materia de esos árboles que tanto me incomoda mirar: parecen inacabados, pájaros desplumados o ramas ennegrecidas, calcinadas.

Quisiera no haber hecho esa promesa, dije en voz tan baja que ni siquiera yo me escuché. La tormenta consumía el espacio. Él fijaba la mirada al frente, como si pudiera ver más allá, como si no estuviera también enceguecido. Eficiente copiloto, tenía una mano sobre el freno de mano. De todos modos avanzábamos a duras penas, la velocidad no era el peligro. Era esa oscuridad, esa lluvia.

Una camioneta pasó a nuestro lado con celeridad suicida. Debía de ser alguien que conocía muy bien el camino.

Mi hijo, en el asiento trasero, gimió.

–¿Despertó? –le pregunté a su padre.

–Me voy a pasar atrás –dijo, en seguida se zafó el cinturón de seguridad y pasó rozándome.

Escuché cómo le hablaba, con una ternura que no dejaba de sorprenderme. Cuando nos conocimos simplemente no podía imaginármelo de papá. Y he aquí que se convirtió en el más esmerado y cariñoso padre, tan intuitivo y servicial que me relevaba de mis tareas maternas. Cuando el niño era un bebé él se ocupaba casi de todo: lo cargaba para que yo no me cansara, le encantaba prepararle el baño, cambiarle los pañales. Prácticamente solo fui necesaria para la lactancia, la cual se prolongó el tiempo que el padre investigó que era el conveniente: un año. Perpleja e incapaz de desobedecer, me mantuve ese plazo sin trabajar y alimentándome para darle buena leche al niño. Me sentía, y creo que me sentiré siempre, culpable por el primer impulso que tuve al conocer que estaba en cinta. Averigüé todo lo necesario para hacerme un legrado, pero al final no pude, y aunque no pude, algún rastro de criminal sentenciado se adhirió a mi alma impura. Cuando anuncié el embarazo ya me sentía contenta de decirlo.

Me casé con aquel hombre asombroso que se convertía en tres: el padre perfecto, el marido que atendía mi depresión postparto y el proveedor que resolvía sus negocios por internet o vía telefónica.

Y no sé por qué me sorprendía tener ahora lo que había deseado tanto una tarde, muchos años atrás, en que acababa de terminar mi primer matrimonio y llegué al templo de san Francisco de Asís en Real de Catorce. En aquellas paredes encontré esperanza, porque ahí estaban los testimonios de miles de fieles que recibieron la gracia del santo en la forma de un milagro. Sanaciones, solución de problemas legales, embarazos imposibles, el regreso de seres amados.

El templo todo era un pozo de los deseos. Solo había que prometer el regreso para agradecer el milagro y dejar el testimonio en la pared del santuario. Con toda mi alma pedí lo que ahí se veía que bien podía pedirse sin causar ninguna molestia a san Francisco: una familia. Un milagro humilde. Pero algo de lo que yo había carecido siempre.

–Tiene fiebre –escuché la voz de mi marido tratando de sonar sereno.

Intenté acelerar. Parecía que en la misma proporción la lluvia arreciaba.

–Tranquila, ya no debemos estar lejos.

El camino parecía imposible, eterno. Unas luces lejanas se avistaban; la entrada al viejo túnel para llegar al pueblo. Recordé los dos teléfonos en cada extremo del túnel: dos vigilantes coordinan el paso de vehículos, pues solo cabe uno. Me revolví en mi asiento, calculé las palabras que debía decirle al vigilante: que tenía una emergencia, que mi hijo estaba muy enfermo y que me dejaran pasar a mí primero.

Suspiré. Los cristales se empañaban, así que bajé un poco el vidrio para que entrara aire. Lo que se coló fue agua, cerré de inmediato.

–¿Cómo está?

–Igual. Concéntrate en lo tuyo.

Sus palabras me hirieron. Conducir era lo mío. La lactancia había sido lo mío. Cuando el niño creció, mientras ellos jugaban yo preparaba la comida (era lo mío), y cuando venían a la mesa traían una mirada cómplice que no compartían conmigo. Lo mío después era lavar los trastes y verlos retozar en el jardín, mientras yo ignoraba cómo saltar ese cerco, cómo incorporarme a algo que parecía ajeno. A veces me conformaba pensando que era mi falta de imaginación para crear juegos divertidos, mi hijo se aburría pronto cuando intentaba jugar con él.

Volví a escuchar el gemido del niño, que claramente dijo *mamá*. Su padre respondió que ahí estábamos los dos, que no se preocupara. Por el retrovisor vi cómo le apartaba los cabellos de la frente:

–Por favor no te distraigas, maneja con cuidado.

Mi hijo volvió a llamarme. Estábamos llegando a la entrada del túnel, el vigilante me cobró la cuota de mantenimiento. Tomó el teléfono para indicar que pasaríamos. Le pregunté por un médico o una clínica y me dio señas de una enfermería en el pueblo.

Entramos entonces en el bien iluminado túnel. Ya no había el estruendo de la lluvia, solo el ruido del motor. Iba tan rápido como podía. Entonces un relámpago interno, en mi cuerpo, en mi sangre, me deslumbró. Frené en seco en medio del túnel.

Bajé corriendo y abrí la puerta de atrás, desabroché el cinturón de seguridad del niño y me desplacé dentro del coche con él en mi regazo. Quería abrazar a mi hijo, cantarle, necesitaba acompañarlo. Estaba haciendo lo mío, lo más mío. Su padre gritó que qué diablos hacía, que teníamos que llegar al pueblo y buscar un médico. No sé qué más dijo. Yo tenía al niño en mi cuerpo, palpaba sus escalofríos, su fiebre, este niño al que un día no quise y del que nada podría apartarme ahora.

El coche comenzó a moverse a arrancones, mi marido no sabía manejar. No era lo suyo. Cerré los ojos para decirle a san Francisco de Asís que de verdad no vine a Real de Catorce para devolverle lo que me dio. Que se vaya mucho a la chingada y que eso es lo que iba a escribirle en el papelito que colgaría de las paredes de su iglesia.

EL FUEGO DE LA SALVACIÓN

DE NIÑO ME QUEDABA siempre a las orillas del misterio, en un rincón de la acera. Los que pasaban por ahí me daban dinero, cuando lo que yo quería en realidad era entrar. Las puertas de la cantina, alas destructoras, apenas me permitían atisbar, adivinar en la medusa del humo y la música los secretos más preciosos. Solo miraba los pies que iban y venían, los zapatos de mujer con tacones raspados. El olor de la cantina: el humo del cigarro, el oxígeno viciado del alcohol, y aunque a veces sentía náuseas podía más mi curiosidad; de qué se reían, qué apostaban, por qué a veces lloraban esos hombrezotes que al entrar parecían dioses y cuando salían estaban solos y perdidos. Y aquel letrero infame: Se prohíbe la entrada a niños, animales y uniformados. Otros letreros también incluían a las mujeres. A veces mi madre iba a buscarme, recorría cada cantina de Leandro Valle, bajaba por Matamoros hasta llegar a Galeana. Cada vez que se asomaba para tantear si ya me había colado, tenía que soportar rechiflas y majaderías, hasta que al fin me encontraba sentado afuera de alguna, distraído con mi trompo de colores. Me llevaba de las orejas a la casa y luego seguían los regaños de mi padre.

No comprendían por qué me gustaban las cantinas. *Nadie te da esos malos ejemplos*, decían. Era verdad. Solo me había aficionado a los teporochos mugrosos que entraban y salían, a los señores gordos que jugaban dominó con sus amigos, a las meseras que entraban rápido y con la cabeza gacha. Una vez un señor se bajó de un carrazo, se mantuvo a la entrada, acariciando el umbral con las puntas de los dedos, sin atreverse a dar un paso. Se volvió a mirarme, tenía los ojos muy abiertos. *No puedo*, me dijo a modo de disculpa. No sé cómo, pero comprendí que estaba muy triste, así que me levanté, empujé las puertas por él y las sostuve para darle paso. Sonrió aliviado. Me dio las gracias y entró.

Una tarde sacaron a un muchacho a que vomitara y me ensució los zapatos, esa fue la última vez que estuve afuera de una cantina. Mamá me vio llegar a la casa. Dejó a un lado la tina de ropa ajena que lavaba, me quitó los zapatos, los limpió con mucho cuidado e hizo que volviera a ponérmelos. Estaba callada, pero yo sentí que en ella se encimaban muchas palabras. Me tomó de la mano y me llevó a la calle, casi a rastras. Llegamos a la cantina, la más fea, la más sucia, la más pobre. Precisamente aquella que prohibía la entrada a niños, mujeres y perros. Mi madre, que cargaba un cansancio muy viejo, irguió los hombros. Por primera vez la vi hermosa, incomparable. Me guiñó un ojo y empujó la puerta, tranquila, nada de prisas. Me hizo entrar a mí primero. En la barra pidió dos cervezas.

LA MUERTE MÁS BLANCA

SU PADRE TAMBIÉN ERA un hombre muy hermoso. Tenía la piel bruñida y ojos como islas esmeralda. Se había lastimado un tobillo en el campo y su hijo, mi amante, debía sustituirlo en el trabajo. Una tarde, mientras en las calles del pueblo los demás sembradores ponían a secar maní, el padre me pidió agua para tomar analgésicos. No había, fue más fácil conseguir un poco de hielo y esperar a que se derritiera –lo que sucede muy pronto en un lugar así, el meridiano del infierno. Mientras el hielo se deshacía bajo mi mirada impaciente, supe que en este pueblo pobre nadie agonizaba, nadie vivía tanto, nadie sufría como yo.

Él había tomado un machete y se había ido a segar bajo el sol. Desde que llegué a buscarlo, hace ya una semana, este era el primer día que nos separábamos. Faltaba poco para su regreso. Pronto entraría, alto y sombrío, con el corazón al galope, hambriento besaría mis muslos y mordería mis muñecas, me llevaría con él a una vasta cama sobre el mar, un Mediterráneo secreto, nuestro. Me arrebataría sin importarle el agua para su padre, sin importarle ni yo ni él, solo despeñarse en su deseo.

Llevé el agua al enfermo. Hombre aún joven, de su cuerpo emanaba cierta desesperación por no poder levantarse para ir al campo a cumplir con sus faenas solares. Me observaba francamente, una mirada fija como para evitar que escapara algo mío. También lo miré. Sonreímos. Tragó la medicina. Siguió sonriendo, con el semblante de un amigo o un entrañable conocido. Apenas nos habíamos visto, no me importaba quererlo. Desde que llegué a su casa estuve encerrada con su hijo. Pero me senté en la cama y revisé el tobillo hinchado sin saber bien qué hacía.

–Debe verlo un médico –dije.

Asintió despacio.

El viento entró y abombó las cortinas raídas. El cuarto era austero, reinaba el descuido. Su voz me sobresaltó, ronca y firme:

–Ninguna mujer vive aquí desde hace mucho tiempo, desde que murió mi esposa. La madre de mi hijo.

Encogí los hombros:

–No me quedaré yo tampoco.

Hizo un ademán para pedirme la cajetilla de cigarros de la mesa de noche. Le acerqué un *popular* y puse otro en mis labios. Me incliné para que encendiera el mío, durante unos segundos nuestros rostros estuvieron muy cerca. Una extraña emoción me recorrió. Son tan parecidos, pensé. Dos hermosos leones. También se inquietó, simuló concentrarse en otro cuerpo, el del humo. Me levanté para apoyarme en el marco de la puerta.

–¿Siempre es así aquí, esta quietud?

–Siempre.

—El olor y sabor de este tabaco son tan fuertes. Mañana pensaré en la isla, cada vez que el humo...

—¿Cuándo te irás? —volvía a sonar la voz, recia.

—Mañana. Hoy. No sé.

—Ustedes... me van a volver loco —su voz tembló.

—¿Cómo?

—La casa es chica... se oye todo. Y los ruidos. Sus ruidos... A dónde voy a ir con la pata descompuesta... —Parecía disculparse, pero sus ojos seguían fijos en mí, sin el titubeo de las palabras.

Hubo un largo silencio. Nos contemplamos sin rubores. El hombre preguntó al fin:

—Después, ¿vas a escribirle?

—No.

—No.

—Nunca.

Siguió fumando, de repente lejano. Y como si su abrupto distanciamiento fuera un permiso para marcharme, salí a caminar entre la gente que observaba a la extranjera y oía con recelo sus pasos sobre el lodo. Andando en las calles tapizadas de la cosecha puesta a secar, pisé por accidente el maní, que crujió doloroso. Una niña mulata vino y tomó mi mano derecha con avidez, la retiré instintivamente pero la chiquilla insistió. Cedí.

—Buena suerte, amor y larga vida, que tus hijos sean muchos y sabios. Dame una moneda —dijo ansiosa la merolica. No tenía monedas, la pequeña se fue desilusionada, yo lo estaba también. Por un momento había creído que de la boca de esa niña adivina saldría una revelación, algo esencial. Algo que me quebrara y me obligara a morderme los labios antes de decirle a él que me iría, que no permanecería jamás en un lugar tan angustioso. Que en realidad cualquier lugar me resultaba así.

Con todas mis fuerzas y sin nada de fe le pedí a Dios otra alma, pues esta se me pudría.

Quién sabe si fuera de mí era posible ver cómo se derrumbaban tantas cosas, tantas que mis hombros vencidos comenzaban a arrastrarme en una caída lenta, pero definitiva. No poder detenerme. Nada crece por donde piso. Mi soledad avanza salando la tierra.

Y seguí andando.

En las calles los campesinos y sus mujeres se exhibían hermosos, apenas cubiertos de sutiles géneros que hacían soportable el verano. Al avanzar más me encontré con un joven, se pasó la mano por el sexo y acariciándose me invitaba. Su rostro era moreno y fino, llevaba una camisa sin mangas. Preguntó en tono alegre por qué iba sola. No respondí ni me detuve, pero le sonreí con todo el cuerpo.

El crepúsculo incendiaba las calles de olor a tabaco, risas y una sensualidad resbalosa que olía a ron de campesinos, aguardiente, luzardiente. El desconocido me seguía, silbando. Lo escuché decir que no se pasa dos veces por el mismo lugar. Me volví de golpe y él embistió oliéndome y pasando su lengua por mi cuello, mi cara; me estrujó y cuando dijo *ven* me llevaba consigo. Nos deslizamos hacia el campo. Dos zorras hambrientas.

Cuando emprendí el camino de regreso no entendí cómo podía andar en la noche, hasta que vi la luna. Su frialdad pudo enloquecerme, pero entonces mi amante me encontró. Vino ebrio, tambaleante, con el cabello suelto sobre los hombros. La misma mirada esmeralda de su padre. Vino con las manos metidas en los bolsillos del pantalón, igual de triste y derrotado que yo, vino con los ojos que yo tendría mañana, los ojos del que ya no está aquí, sino… ¿dónde? Le mostré mi nueva sonrisa, la que aprendí de la zorra en el camino. No comprendió mi aprendizaje de esa tarde y se derrumbó sobre mí y sus caricias eran sollozos. Entrábamos al monzón en pleno desierto.

La luna, llena y ominosa boyaba en el cielo como un globo a punto de romperse. Al reventar hizo un ruido de huesos que se quiebran, luego un silencio de luz o cenizas cayendo, una sustancia pálida que vertió sobre nuestras cabezas la muerte más blanca. La petrificación.

UN VIAJE CON DIQUE

EL MAR DE MI ABUELA fue un antídoto contra el dolor, allá, en los días de infancia.

En las secas tierras, a la orilla de un volcán que escupía cenizas, las grandes extensiones de agua solo podían ser una magnífica ilusión. Cubierta por la luz de las fogatas yo le prometí que iríamos juntas al mar. Echábamos a la lumbre pedazos de madera y en seguida saltaban chispas que parecían estrellas salidas de nuestros cuerpos. Sé que esos ojos llameantes de la abuela no dejaron de esperar el viaje nunca.

A través de los años, en la marea de mi vida, el pueblo y mi abuela se fueron alejando. Evité el mar porque se lo debía a ella. Hasta que casi murió.

Mi madre llamó:

–Es hora de cumplir la promesa.

Silencio. Se me anudó la voz, no supe responder.

El regreso, los olores, el polvo de los caminos tierra adentro, muy adentro. Me despertaba la infancia. Una niña de trenzas largas, ojos negros y llorosos. Una niña terrible que lloraba por todo. Hija única, como mi madre, como la abuela. Mis lágrimas, heredadas, pertenecían por igual a las tres.

La casa apenas había cambiado. Techos altos, vigas de madera olorosa, las tejas de barro desde donde saltaban al vacío las arañas. El gran solar con sus árboles frutales repletos. El olor a membrillo. Mi madre me recibió con su acostumbrada gravedad. Alta y derecha, la frente limpia. Sus ojos desaprobaron el *piercing* en mi nariz, pero me abrazó y besó muchas veces.

Me acosté junto a la abuela con mucho tiento. Metí el rostro entre su pelo, como antes. *Mi querida mamá Ana, tejía en tus cabellos mientras decíamos medio dormidas: el mar, el mar...*

Mamá Ana sonríe apacible, intenta erguirse.

—Dejen que me levante, quiero hacerles la comida, ¡hace tanto que no estamos juntas!

En su aliento percibo que ha bebido, me doy vuelta en la cama y con una mano adivino la botella entre las cobijas, la saco y bebo. Mezcal para todo mal... La abuela ríe, mi madre finge distraerse en el huerto. Mamá Ana levanta el índice y me limpia diligente las comisuras de la boca. Entonces nos miramos a gusto. Registramos los cambios, mis cejas depiladas, su ojo izquierdo más pequeño que el derecho, mi cabello teñido de rojo, su palidez, la afilada barbilla, el *piercing*, la tristeza que no nos escondemos. Mi madre se acerca. Me hago a un lado y se mete en medio. Toma nuestras manos juntas y propone:

—Nos dejamos de pendejadas y vamos al mar.

Sigue un intercambio de monosílabos. Toda la vida nos hemos entendido con poco. Echamos a la cajuela lo que creímos necesario. Ellas se sientan atrás y yo arranco, con el mapa de los sueños clavado en la frente.

Tres mujeres que nunca han visto el mar, bajo el dominio de su enigma.

Esta era la primera vez que mamá Ana dejaba el pueblo. Mi abuelo le dijo un día, el mismo en que ella le anunció su embarazo: *Ana, no me esperes. Me voy a un barco, al mar.* El castillo de arena que él construyó se quedó ahí, con ella adentro.

En el camino, de nuevo las alas enhiestas del polvo.

Horas después el aire encierra otros secretos. Con movimientos nerviosos ellas otean, tratan de adivinar de dónde viene ese olor a aire mojado, de dónde llega ese sonido que acaricia e hiere. Al fin, aún lejos, un aletazo azul. Un cielo en movimiento. El estremecimiento del corazón: es miedo, puro miedo. Mi abuela, mi valiente mamá Ana, me ordena parar con apenas un hilo de voz. Detengo el coche a la orilla de la carretera. Las miro por el retrovisor, forcejean, mi mamá trata de arrancarle la botella de mezcal. Recuerdo con alivio la coca en la guantera, saco un poco y la froto en mis encías mientras ellas susurran primero y después pelean francamente. En náhuatl. Para que yo entienda un carajo. Mi madre jura que no aprendí la lengua porque no quise y no porque ella no intentara enseñarme de veras. Lo que recuerdo es que me contaba cómo la castigaban en la escuela si se le escapaba una sola palabra ajena al castellano. Y cuando su infancia revivía, también volvía el miedo a los golpes. La rabia.

Me cruzo de brazos, ellas manotean, esto puede durar…

Vencida, mi madre se echa atrás en el asiento. Cierra los ojos. Dice al fin:

—No quiere llegar. Que se le va a parar el corazón.

—A ver, abuela, ¿cómo que se te va a parar el corazón?

—Miren la dos: no quiero saber nada del mar. Tu padre, tu abuelo, ¿me escuchan?, se fue, se quiso ir. Y ya. ¡Estoy hasta la coronilla del mar!

El silencio nos ocupa largos minutos. Hace muchísimo calor. Pongo el motor en marcha para encender el aire acondicionado. Por hacer algo, vuelvo a colocarme los lentes oscuros. La abuela sale del auto con cierta dificultad, se detiene unos pasos adelante, buscando algo en la distancia. Mi madre aprovecha para empuñar la botella de mezcal, se baja también y la lanza lejos, el ruido del cristal roto no distrae a mamá Ana, sumergida en una línea de aguas remotas. De pronto levanta una mano y la agita repetidas veces, con alivio.

Adiós, muchas veces. Y se sube al coche seguida por su hija.

Se sientan apartadas y tiesas. Cada una apretando los labios, sus cuerpos un dique para una lengua de fuego que siempre va a serme ajena. Refugiadas lo más lejos que pueden una de la otra. Miran hacia fuera por la ventana, un paisaje único. Cuánto se parecen.

Arranco y doy la vuelta.

—Mamá Ana, ¿cómo dices adiós en náhuatl? —pregunto mientras me pongo un cigarro entre los labios.

Antes de que la respuesta llegue, mi madre me quita el cigarro de un manotazo.

La soledad en los mapas

ÉL HACÍA MAPAS de lugares remotos, casi deshabitados. Y de algunos otros donde los pobladores ni siquiera sabían lo que eran: así de lejos estaban.

Yo hacía las preguntas del censo y él situaba todo en una geografía. Nos asignaron ese pueblo y emprendimos el camino de tres días, uno de ellos a pie. Lo primero que avistamos fueron los muros azulosos de las casitas de adobe. Era extraño y bello, se lo dije. Respondió: «Hay algo en la tierra, un pigmento natural».

Los niños que nos recibieron iban casi desnudos. Como si se alimentaran de la tierra, también tenían un ligero tono azul en la piel. A unos se les notaba más que a otros. Eran chicos todos y también estaban desnutridos. Sus ojos negros reflejaban lo distintos que éramos de ellos. Sus ojos eran desiertos, puentes quemados, un mundo abisal. Di gracias a Dios por estar tan lejos de eso, aunque luego sentí vergüenza. La desnuda miseria de esos niños. Preguntamos por sus padres: muchos se habían ido al norte. No sabían nada de ellos. Eran criaturas sin hogar, una tribu extraña casi sin adultos, solo algunos ancianos hastiados que los dejaban hacer cualquier cosa, que crecieran si podían, que el más fuerte prevaleciera.

El censo tenía preguntas imposibles de formular. Tampoco podíamos contarlos a todos, muchos niños estaban fuera del pueblo, así le llamaban a ese puñado de casitas en ruinas. Volverían al día siguiente, habían ido a la escuela, estaba lejos y dormían allá. La escuela una vez a la semana. Si no los mordía una víbora, nos dijeron, volverían. Tuvimos que quedarnos esa noche.

Él me preguntó si me gustaría tener hijos.

No respondí.

Entramos al cuarto que nos prestaron para dormir. Me desnudé para aplicarme el repelente, las pulgas habían comenzado a herirme. Le presté mi botella y vi que tenía una erección.

No era la primera vez que viajábamos juntos. Pero sí la primera que nos necesitábamos.

Me levantó y me recostó sobre el petate. Una vela dentro de un envase vacío de Coca-Cola alumbraba. Yo preferí cerrar los ojos. Comenzó a deslizar sus manos por mi piel sedienta, a ratos me hacía reír, hurgaba dentro de mí con los dedos. Lo escuché decir:

—Mira —en sus dedos había algo blanco, chicloso, que se estiraba mientras él unía y separaba el pulgar y el índice—. Estás ovulando.

Sonreí a medias. Nos quedamos quietos. Un magno concierto de grillos. En el techo y las paredes de adobe se proyectaban nuestras sombras.

Pensé en esos niños tan semejantes a animales, en sus sonrisas fáciles, en sus manos callosas. ¿Niños?

–No me dejes pensar –extendí los brazos hacia él. Mi lengua ya estaba en su boca, mis manos buscaban su alma, su mirada en el centro de aquel mundo perdido.

Despertamos adoloridos. Mi repelente no había sido más fuerte que el hambre de los insectos, así que teníamos ronchas. Le di un peine para que me desenredara el cabello, lo juntó con una cinta y me besó los ojos.

–¿Parezco una mujer embarazada?

–Pareces un náufrago.

La puerta se abrió de golpe. Entró en un rayo de sol polvoriento una niña descalza. Tendría once o doce años. Era de las más azules. En su vientre ya cargaba a otra criatura. Nos preguntó si ella contaba por dos.

La música de mi esfera

Still waiting to meet a girl that listens to this band.
Man, that would be sweet.

Leído en YouTube

A LOS VIUDOS NOS LLEVA EL DIABLO. Bajo los gestos compasivos con que los demás nos arropan hay una secreta repulsión. No solo fue tu desaparición en el mundo. Contigo también se fueron personas, amigos que no querían verme porque te recordaban y sufrían. Se desvanecieron entrañables objetos, como los libros y discos que tuve que guardar o regalar, pues no toleraba su presencia; todo te sobrevivía y se burlaba de mí.

Abrí la caja de Pandora. La urna donde guardé todos nuestros discos. Han pasado tantos años y hoy una mezcla de hastío y coraje guio mis manos, arranqué la cinta canela, salió polvo, tosí, encontré una cucaracha muerta encima del *Without a sound* de Dinosaur Jr. Tú no habrías permitido que se empolvaran tanto. Ya tendrías todo en un iPod. Pero tú no estás más. Y tenía que hacer algo con las cosas.

Se volvió imposible escuchar música. Aunque sabía perfectamente cuáles eran tus discos y cuáles los míos, no logré establecer una separación entre unos y otros.

Un ser mutilado no es más un individuo.

Esta caja de cartón, tan maltrecha, es una máquina del tiempo. En ella realizo una travesía accidentada. En cuántos movimientos...

00:38 h La artillería pesada de Control Machete. Un sonido sordo. Una avalancha en los Alpes. Caída libre en el Aconcagua. Un rayo partía la tierra. Y el mundo era otro. Sucedió en unos instantes. Cuando entré en el baño pensé que bromeabas. Que fingías haberte desmayado. Me quedé inmóvil en el umbral. Tu cuerpo desnudo, tan blanco. Luego me acerqué, seguí creyendo que te burlabas, sobre todo cuando salió de tu garganta aquel sonido, una especie de gruñido. Estertores, me aclaró un médico después. Te llamé. No hubo respuesta. Un remolino furioso irrumpió en esa casa que éramos nosotros mismos. Control Machete seguía a todo volumen. No, ya no respondiste. Corrí al teléfono, en mi carrera di un manotazo al estéreo, pensé que lo había apagado pero solo se cambió el disco. Comenzó a sonar *Where did you sleep last night* de Nirvana.

Los discos. Se me ocurre que ahí están todavía tus huellas dactilares. Dicen que ninguna es igual a otra. ¿Esos laberintos indicarían de verdad cuánto vivirías?

Nada entra en mis oídos. No sé si Kurt Cobain ardido se desgarra de odio y de celos porque ignora dónde durmió su chica. Algo increíble me está sucediendo. No sabía qué era ser madre, hasta este momento. El dolor me rompe en el centro, un dolor sin orillas. Mis huesos se abren, los pulmones explotan, me posee el aroma de la sangre. El grito se queda adentro, donde más daño hace, donde nunca tendrá reposo. Quiero retenerte. Guardarte en mí. Te abrazo hasta con las piernas, quiero rodearte, que entres en mi vientre. Ahí estás, desnudo en mi regazo. Eres la última persona. Y el primer don divino.

Siento ese delgado aire que significa la vida salir de tu cuerpo. Es un deslizamiento en aguas profundas.

Te vas.

Aferrada a ti, me pregunto, solo tengo esa pregunta, sin aliento, sin perdón, en dónde estarás naciendo.

Ya encontré el disco que buscaba. Creo que por eso abrí la caja.

Pues sí, desde que te fuiste no duermo bien, no me toca nadie, no escucho música y me gustaría tener una oveja sin alma

a heart thats full up like a landfill

y necesitaba tanto encontrarle un ritmo, una tonada a estos días

you look so tired _nhappy,

me parece extraño que el espejo no muestre nada del cansancio que arrastro

Insólito no parecer más vieja

this is my final fit, my final bellyache, with

de ti se decía lo increíble que era que murieras joven. ¡Con tanta vida por delante!

i´ll take a quiet life, a handshake some carbon monoxide

Y yo sin saber qué hacer con mi vida por delante

no alarms and no surprises

silent

Cuando los paramédicos llegaron no podía soltarte. Estaba incrustada en ti, que por primera vez no me devolvías un abrazo

no alarms and no surprises

no me devolvías lo que yo misma no tendré más, sin importar cuánto viva:

no alarms and no surprises

la ilusión de un presente perpetuo. Ya sé que se acaba

please

Siempre se acaba

no alarms and no surprises

no alarms and no surprises

please

Hay un tiempo en el que se elige cómo mirar atrás. Qué cara ponerle a nuestros muertos. No alcanzaste a saber que en este lado del mundo Kurt Cobain se suicidó. Para los conspiracionistas Courtney es su asesina. Thom Yorke también arribó a la viudez. Tal vez pronto la muerte sea un asunto aplazable. Hoy vi en la televisión que clonaron dos ovejas con el método Dolly. Solo necesitaron unas células. Un día todo será posible. Hasta puede que encuentren el modo de clonar también el alma, cuya ausencia parece ser el gran defecto del experimento. Que le den otra alma a Kurt. O a mí. Por favor.

Esta primera edición de
La memoria donde ardía
de Socorro Venegas
se terminó de imprimir
el 14 de abril de 2019